Milagres

Tradução:
Francisco Nunes

Milagres
Um estudo preliminar

C. S. LEWIS

Edição *especial* |  Thomas Nelson
BRASIL

Título original: *Miracles*
Copyright © C. S. Lewis Pte Ltd 1947

First published in Great Britain by Geoffrey Bles 1947. Edição original por HarperCollins *Publishers*. Todos os direitos reservados. Copyright de tradução © Vida Melhor Editora LTDA., 2021.

Os pontos de vista desta obra são de responsabilidade de seus autores e colaboradores diretos, não refletindo necessariamente a posição da Thomas Nelson Brasil, da HarperCollins Christian Publishing ou de sua equipe editorial.

Publisher	*Samuel Coto*
Editores	*André Lodos Tangerino e Brunna Prado*
Preparação	*Hugo Reis*
Revisão	*Davi Freitas* e *Francine Torres*
Diagramação	*Sonia Peticov*
Capa	*Rafael Brum*

Dados Internacionais de Catalogação na Publicação (CIP)
(BENITEZ CATALOGAÇÃO ASS. EDITORIAL, MS, BRASIL)

L652c
    Lewis, C. S. (Clive Staples), 1898-1963
    Milagres / C.S. Lewis; tradução Francisco Nunes. — 1.ed. — Rio de Janeiro: Thomas Nelson Brasil, 2021.
    272 p.; 13,5 x 20,8 cm.

    ISBN 978-65-56891-73-6

    1. Encarnação.   2. Milagres.   3. Testemunho.   4. Vida.   I. Nunes, Francisco. II. Título.

02-2021/24   CDD: 220.6

Índice para catálogo sistemático:
1. Vida cristã   220.6

Thomas Nelson Brasil é uma marca licenciada à Vida Melhor Editora LTDA.

Todos os direitos reservados à Vida Melhor Editora LTDA.
Rua da Quitanda, 86, sala 218 — Centro
Rio de Janeiro — RJ — CEP 20091-005
Tel.: (21) 3175-1030
www.thomasnelson.com.br

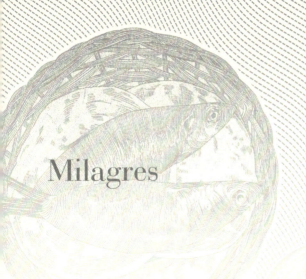

Milagres

Clive Staples Lewis (1898-1963) foi um dos gigantes intelectuais do século XX e provavelmente o escritor mais influente de seu tempo. Era professor e tutor de literatura inglesa na Universidade de Oxford até 1954, quando foi unanimemente eleito para a cadeira de Inglês Medieval e Renascentista na Universidade de Cambridge, posição que manteve até a aposentadoria. Lewis escreveu mais de 30 livros que lhe permitiram alcançar um vasto público, e suas obras continuam a atrair milhares de novos leitores a cada ano.

Para Cecil e Daphne Harwood

Um meteorito, entre as colinas,
Repousa enorme; e nele musgos se multiplicaram,
E o vento, e os toques, e a chuva fina
Os contornos da pedra suavizaram.

Assim, a Terra pode facilmente acolher
Uma brasa de fogo sideral,
E a esse hóspede translunar receber
Como a um camponês em sua terra natal.

Não se deve estranhar que esses viajantes
Encontrem no solo da Terra um regaço,
Pois cada partícula dela antes
Veio do infinito e profundo espaço.

Tudo o que é Terra já foi céu,
Vindo do Sol de remota antiguidade,
Ou de alguma estrela que não sobreviveu
À flamejante chama em sua proximidade.

Portanto, se gotas tardias descerem ainda
Do céu até este solo gerador,
Continuará ele a agir nessa infinda
Torrente, na chuva de dourado fulgor.

C. S. L.
Reproduzido com permissão de *Time and Tide*[1]

---

[1]*Revista britânica de crítica literária e política. Fundada em 1920, era inicialmente semanal, tornou-se mensal em 1970 e foi publicada até 1986. Lewis cooperou com ela por cerca de vinte anos. O poema acima, "The Meteorite" [O meteorito], foi publicado na edição de 7 de dezembro de 1946. [As notas de rodapé identificados com um * são do tradutor; as demais são do autor.]

SUMÁRIO

Capítulo 1 | O escopo deste livro   11

Capítulo 2 | O Naturalista e o Sobrenaturalista   14

Capítulo 3 | A principal dificuldade do Naturalismo   23

Capítulo 4 | Natureza e Sobrenatureza   40

Capítulo 5 | Uma dificuldade adicional no Naturalismo   53

Capítulo 6 | Respostas aos receios   61

Capítulo 7 | Um capítulo sobre pistas falsas   69

Capítulo 8 | Milagres e as leis da Natureza   82

Capítulo 9 | Um capítulo quase desnecessário   92

Capítulo 10 | "Coisas vermelhas nojentas"   99

Capítulo 11 | Cristianismo e "religião"   118

Capítulo 12 | A propriedade dos milagres   139

Capítulo 13 | Sobre a probabilidade   147

Capítulo 14 | O Grande Milagre   159

Capítulo 15 | Milagres da velha criação   195

Capítulo 16 | Milagres da nova criação   211

Capítulo 17 | Epílogo   241

Apêndice A: Sobre as palavras "espírito" e "espiritual"   249
Apêndice B: Sobre "providências especiais"   256

CAPÍTULO 1

O escopo deste livro

"Aqueles que desejam ter sucesso devem fazer as perguntas preliminares corretas."
Aristóteles, Metafísica, II, (III), 1.

Em toda a minha vida, encontrei apenas uma pessoa que afirma ter visto um fantasma. E o interessante da história é que essa pessoa não acreditava em alma imortal antes de ver o fantasma, e continua não acreditando depois de vê-lo. Ela diz que o que viu deve ter sido uma ilusão ou uma peça que seus nervos lhe pregaram. E, obviamente, ela pode estar certa. Ver não é acreditar.

Por esse motivo, a questão sobre a possibilidade da ocorrência de milagres nunca pode ser respondida apenas pela experiência. Todo acontecimento que pode alegadamente ser um milagre é, em última instância, algo apresentado aos nossos sentidos, algo visto, ouvido, tocado, cheirado ou provado. E nossos sentidos não são infalíveis. Se algo extraordinário parece ter acontecido, sempre podemos dizer que fomos vítimas de uma ilusão. Se defendemos uma filosofia que exclui o sobrenatural, é isso que sempre diremos. O que aprendemos da experiência depende do tipo de filosofia que aplicamos à experiência. Portanto, é inútil recorrer à experiência antes de resolvermos, da melhor maneira possível, a questão filosófica. Se a experiência imediata não pode provar ou refutar o miraculoso, menos ainda a história pode fazê-lo. Muitas pessoas pensam que se pode decidir se um milagre ocorreu no passado com o exame das evidências "de acordo com as regras comuns da investigação histórica"; mas as regras comuns não funcionam enquanto não concluirmos se os milagres são possíveis e, em caso afirmativo, definirmos a probabilidade deles; pois, se forem impossíveis, nenhum volume de evidência histórica nos convencerá. Se os milagres são possíveis mas imensamente improváveis, apenas as evidências demonstrativas de acordo com a matemática nos convencerão, e como a história nunca fornece esse grau de evidência para acontecimento algum, a história nunca pode nos convencer de que ocorreu um milagre. Se, por outro lado, os milagres não são intrinsecamente improváveis, a evidência existente bastará para nos convencer de que muitos milagres ocorreram. O resultado de nossas investigações históricas depende, portanto, dos pontos de vista filosóficos que defendemos antes mesmo de começarmos a examinar as evidências. Essa questão filosófica deve, portanto, vir em primeiro lugar.

Aqui está um exemplo do tipo de coisa que acontece se omitirmos a tarefa filosófica preliminar e avançamos para a histórica. Em um comentário popular sobre a Bíblia, você encontrará uma discussão sobre a data em que o Quarto Evangelho foi escrito. O autor diz que deve ter sido escrito após a execução de Pedro, porque o Quarto Evangelho apresenta Cristo predizendo a execução de Pedro. "Um livro", pensa o autor, "não pode ser escrito *antes* dos acontecimentos a que se refere". Claro que não pode — a menos que previsões reais ocorram. Se ocorrerem, esse argumento com respeito à data está em ruínas. E o autor ainda nem discutiu se previsões reais são possíveis. Ele toma como certo (talvez inconscientemente) que elas não são. Pode ser que ele esteja certo; mas, se estiver, ele não descobriu esse princípio por meio da investigação histórica: ele incorporou ao trabalho histórico a sua descrença pronta, por assim dizer, com respeito a previsões. Se ele não tivesse feito isso, a sua conclusão histórica sobre a data do Quarto Evangelho não teria sido alcançada. O seu trabalho é, portanto, bastante inútil para uma pessoa que deseja saber *se* as predições ocorrem. O autor só começa a trabalhar depois de já ter respondido a essa pergunta de forma negativa e por motivos que ele nunca nos comunica.

O presente livro pretende ser uma preliminar à investigação histórica. Eu não sou um historiador com formação específica e não examinarei as evidências históricas dos milagres cristãos. O meu esforço é para colocar os meus leitores em posição de fazê-lo. Não adianta ir aos textos se não tivermos alguma ideia da possibilidade ou da probabilidade do miraculoso. Aqueles que supõem que os milagres não podem acontecer estão apenas perdendo tempo ao examinar os textos: sabemos antecipadamente os resultados que eles encontrarão, pois começaram por evitar a pergunta.

CAPÍTULO 2

O Naturalista e o Sobrenaturalista

"'*Meus Deus!*', *exclamou a sra. Snip;* '*e existe um lugar onde as pessoas se aventuram a viver acima do solo?*' '*Nunca ouvi falar de pessoas que vivem debaixo do solo*', *respondeu Tim,* '*antes de eu chegar à Terra dos Gigantes*'. '*Chegar à Terra dos Gigantes!*', *exclamou a sra. Snip,* '*ué?, mas não é Terra dos Gigantes para todo lado?*'"

Roland Quiz, Giant-Land, cap. XXXII[1]

Estou usando a palavra *Milagre*[2] no sentido de uma interferência de um poder sobrenatural na Natureza[3]. A menos que

---

[1]*Roland Quiz é pseudônimo de Richard Martin Howard Quittenton (1833–1914), autor de livros infantis. A obra citada é *Giant-Land or the Wonderful Adventures of Tim Pippin* [Terra de gigantes ou as maravilhosas aventuras de Tim Pippin].
[2]*Mantivemos, ao longo do livro, o uso bastante peculiar que o autor faz de iniciais maiúsculas.
[3]Essa definição não é a que seria dada por muitos teólogos. Eu a estou adotando não porque a considere uma melhoria do conceito deles, mas precisamente porque, sendo bruta e "popular", permite-me tratar com mais facilidade as prováveis questões que "o leitor comum" tenha em mente ao tomar um livro sobre milagres.

O Naturalista e o Sobrenaturalista

exista, além da Natureza, algo mais que possamos chamar de sobrenatural, não haverá milagres. Algumas pessoas acreditam que nada existe, exceto a Natureza; eu chamo essas pessoas de *Naturalistas*. Outras pessoas pensam que, além da Natureza, existe algo mais: eu as chamo de Sobrenaturalistas. A nossa primeira pergunta é, portanto, se são os Naturalistas ou os Sobrenaturalistas que estão certos. E aqui surge a nossa primeira dificuldade.

Antes que o Naturalista e o Sobrenaturalista possam começar a discutir sua diferença de opinião, eles certamente devem ter uma definição concordante tanto de Natureza quanto de Sobrenatureza. Mas, infelizmente, é quase impossível obter essa definição. Uma vez que o Naturalista pensa que nada além da Natureza existe, a palavra *Natureza* significa para ele meramente "tudo" ou "o espetáculo todo" ou "o que quer que exista". E, se é isso que entendemos por Natureza, é claro que nada mais existe. O cerne da questão entre ele e o Sobrenaturalista nos escapou. Alguns filósofos definiram a Natureza como "o que percebemos com os nossos cinco sentidos", mas isto também é insatisfatório, pois não percebemos as nossas próprias emoções dessa maneira e, no entanto, elas são, presumivelmente, acontecimentos "naturais". Para evitar esse impasse e descobrir em que, de fato, o Naturalista e o Sobrenaturalista diferem, devemos tratar nosso problema de uma maneira mais indireta.

Começo considerando as proposições seguintes: (1) Esses seus dentes são naturais ou uma dentadura? (2) O cão, em seu estado natural, está coberto de pulgas. (3) Gosto de me afastar de terras cultivadas e de estradas de ferro e ficar sozinho com a Natureza. (4) Haja de modo natural. Por que você está tão conturbado? (5) Pode ter sido errado beijá-la, mas era muito natural.

15

Milagres

Um fio comum de significado em todos esses casos pode ser facilmente percebido. Os dentes naturais são aqueles que crescem na boca; não precisamos projetá-los, fabricá-los ou ajustá-los. O estado natural do cão é aquele em que o animal ficará se ninguém pegar água e sabão e mudar isso. A região rural onde a Natureza reina suprema é aquela em que o solo, o clima e a vegetação produzem seus resultados sem ajuda nem impedimentos por parte do homem. O comportamento natural é aquele que as pessoas manifestariam se não tivessem o anseio de alterá-lo. O beijo natural é o beijo que será dado se as considerações morais ou prudenciais não interferirem. Em todos esses exemplos, Natureza significa o que acontece "por si mesmo" ou "por sua própria vontade": aquilo pelo que você não precisa trabalhar; o que você obterá se não adotar medidas para impedi-lo. A palavra grega para Natureza (*Physis*) está associada ao verbo grego para "crescer"; e a palavra latina *Natura*, ao verbo "nascer". O Natural é o que brota, ou emerge, ou chega, ou acontece *por sua própria vontade*: aquilo que é dado, o que já existe; o espontâneo, o não intencionado, o não solicitado.

O que o Naturalista acredita é que o Fato último, aquilo que se não pode deixar para trás, é um vasto processo no espaço e no tempo em que está *acontecendo por conta própria*. Dentro de todo esse sistema, cada acontecimento em particular (como você sentado a ler este livro) acontece porque algum outro acontecimento ocorreu; a longo prazo, porque o Acontecimento Total está acontecendo. Cada coisa em particular (como esta página) é o que é porque outras coisas são o que são; e assim, com o passar do tempo, porque todo o sistema é o que é. Todas as coisas e todos os acontecimentos estão tão completamente interligados, que nenhum deles pode reivindicar a menor independência do "espetáculo todo". Nenhum deles existe "por conta própria" ou "acontece por conta própria", exceto no sentido em que exibe, em determinado local e tempo, aquela "existência por conta própria" ou "comportamento por conta própria" que pertence à "Natureza" (o grande acontecimento total entrelaçado) como um todo. Assim, nenhum Naturalista radical acredita no livre-arbítrio, pois livre-arbítrio significaria que os seres humanos têm o poder da ação independente, o poder de fazer algo mais ou diferente daquilo em que estava envolvido pela série total de acontecimentos. E qualquer poder separado de acontecimentos originários é o que o Naturalista nega. Espontaneidade, originalidade, ação "por conta própria", isso tudo é um privilégio reservado ao "espetáculo todo", a que ele chama de *Natureza*.

O Sobrenaturalista concorda com o Naturalista que deve haver algo que existe por si só; algum Fato básico cuja existência seria um absurdo tentar explicar, porque esse Fato é o próprio fundamento ou ponto de partida de todas as explicações. Mas ele não identifica esse Fato com o "espetáculo todo". Ele entende que as coisas se enquadram em duas categorias. Na primeira categoria, encontramos coisas ou (mais provavelmente) Uma Coisa que é básica e original, que existe por si só. Na segunda, encontramos coisas que são meramente derivadas daquela Uma Coisa. A única Coisa básica fez com que todas as outras coisas fossem. Ela existe por si mesma; elas existem porque ela existe. Elas deixarão de existir se ela um dia deixar de manter a existência delas; elas serão alteradas se ela, em alguma ocasião, as alterar.

A diferença entre essas duas opiniões pode ser expressa por dizermos que ambas nos dão um retrato da realidade: o Naturalismo nos dá um retrato democrático, o Sobrenaturalismo, um retrato monárquico. O Naturalista entende

17

Milagres

que o privilégio de "ser por si mesmo" está presente no conjunto total das coisas, assim como a soberania da democracia está presente no conjunto total do povo. O Sobrenaturalista entende que esse privilégio pertence a algumas coisas ou (mais provavelmente) a Uma Coisa e não a outras — assim como, em uma monarquia real, o rei tem soberania e o povo, não. E tal como, em uma democracia, todos os cidadãos são iguais, assim também, para o Naturalista, um episódio ou acontecimento é tão bom quanto o outro, no sentido de que todos são igualmente dependentes do sistema total de coisas. De fato, cada um deles é apenas a maneira pela qual o caráter desse sistema total se exibe em um ponto específico no espaço e no tempo. O Sobrenaturalista, por sua vez, acredita que a única coisa original ou com existência autônoma está em um nível diferente de — e mais importante do que —, todas as outras coisas.

A essa altura, pode haver uma desconfiança de que o Sobrenaturalismo tenha surgido inicialmente da interpretação do universo dentro da estrutura das sociedades monárquicas. Mas então, é claro, pode-se desconfiar com igual razão que o Naturalismo tenha surgido da interpretação da estrutura das democracias modernas. As duas desconfianças, portanto, cancelam uma à outra e não nos ajudam a decidir qual teoria é mais provavelmente a verdadeira. Elas, na verdade, lembram que o Sobrenaturalismo é a filosofia característica de uma era monárquica, e o Naturalismo, de uma democracia, no sentido de que o Sobrenaturalismo, mesmo que falso, seria aquilo em que o grande contingente de pessoas ignorantes, quatrocentos anos atrás, teria acreditado, assim como o Naturalismo, mesmo que falso, será aquilo em que o grande contingente de pessoas acreditará hoje.

Todo mundo já percebeu que a Única Coisa Autoexistente — ou a pequena classe de coisas autoexistentes — na qual os

Sobrenaturalistas acreditam é o que chamamos de Deus ou deuses. Proponho, para o restante deste livro, tratar apenas da forma de Sobrenaturalismo que acredita em um único Deus; em parte porque o politeísmo provavelmente não seja um problema atual para a maioria dos meus leitores e, em parte, porque aqueles que acreditavam em muitos deuses muito raramente, de fato, consideravam os seus deuses como criadores do universo e como autoexistentes. Os deuses da Grécia não eram de fato sobrenaturais no sentido estrito que estou dando à palavra. Eles eram produtos do sistema total de coisas e estavam nele incluídos. Isso traz à tona uma importante distinção.

A diferença entre Naturalismo e Sobrenaturalismo não é exatamente igual à diferença entre a crença em um Deus e a descrença. O Naturalismo, sem deixar de ser ele mesmo, poderia admitir certo tipo de Deus. O grande acontecimento entrelaçado chamado Natureza pode produzir, em algum momento, uma grande consciência cósmica, um "Deus" residente que surge a partir de todo o processo, quando a mente humana surge (de acordo com os Naturalistas) a partir de organismos humanos. Um Naturalista não se oporia a esse tipo de Deus. A razão é esta: um Deus assim não ficaria fora da Natureza ou de todo o sistema, não existiria "por conta própria". Ainda seria o "espetáculo todo", o Fato básico, e esse Deus seria meramente uma das coisas (mesmo que ele fosse a mais interessante) que o Fato básico conteria. O que o Naturalismo não pode aceitar é a ideia de um Deus que está fora da Natureza e a criou.

Estamos agora em posição de afirmar a diferença entre o Naturalista e o Sobrenaturalista, a despeito do fato de eles não darem o mesmo significado à palavra Natureza. O Naturalista acredita que um grande processo de "tornar-se" existe "por si

Milagres

só" no espaço e no tempo e que nada mais existe — o que chamamos de coisas e acontecimentos particulares seriam apenas as partes nas quais analisamos o grande processo ou as formas que esse processo assume em determinados momentos e pontos no espaço. A essa realidade única e total ele chama de Natureza. O Sobrenaturalista acredita que uma Coisa existe por si só e produziu a estrutura do espaço e do tempo e a procissão de acontecimentos sistematicamente conectados que os preenchem. A essa estrutura e a esse preenchimento ele chama de Natureza. Pode ou não ser a única realidade que a única Coisa Primária produziu. Pode haver outros sistemas além daquele a que chamamos de Natureza.

Nesse sentido, pode haver várias "Naturezas". Essa concepção deve ser mantida bem distinta do que é comumente chamado de "pluralidade de mundos" —, ou seja, sistemas solares diferentes ou galáxias diferentes, "universos insulares" existentes em partes muitíssimo separadas de um único espaço e tempo. Esses, por mais remotos que fossem, seriam partes da mesma Natureza que o nosso próprio Sol: ele e eles seriam interligados pelas relações entre si, relações de ordem espacial, temporal e causal. E é exatamente esse entrelaçamento recíproco dentro de um sistema que o torna o que chamamos de Natureza. Outras Naturezas podem não ser espaço--temporais de todo, ou, se alguma delas fosse, o seu espaço e o seu tempo não teriam relação espacial ou temporal com a nossa. É apenas essa descontinuidade, essa falha no entrelaçamento, que nos justificaria por chamá-las de Naturezas diferentes. Isso não significa que não haveria absolutamente nenhuma relação entre elas; elas seriam relacionadas pela sua derivação comum de uma única fonte Sobrenatural. Seriam, com respeito a isso, como diferentes romances de um único autor: os acontecimentos em uma história não têm relação com os acontecimentos em outra, *exceto* que foram inventados pelo mesmo autor. Para encontrar a relação entre eles, você deve voltar à mente do autor: não há nada que ligue diretamente o que o sr. Pickwick diga em *Pickwick Papers* a qualquer coisa que a sra. Gamp ouça em *Martin Chuzzlewit*.[4] Da mesma forma, não haveria uma ligação direta normal entre um acontecimento em uma Natureza com um acontecimento em qualquer outra. Por uma relação "normal", refiro-me àquela que ocorre em virtude do caráter dos dois sistemas. Temos de apor a qualificação "normal" porque não sabemos antecipadamente se Deus não poderia colocar duas Naturezas em contato parcial em algum ponto específico; isto é, ele pode permitir que acontecimentos *selecionados* em uma Natureza produzam resultados na outra. Assim, haveria, em certos pontos, um entrelaçamento parcial, mas isso não transformaria as duas Naturezas em uma, pois a total reciprocidade que faz uma Natureza ainda faltaria, e os entrelaçamentos anômalos surgiriam, não do que cada sistema era em si mesmo, mas sim do ato Divino que os juntou. Se isso ocorresse, cada uma das duas Naturezas seria "sobrenatural" em relação à outra, mas o fato de seu contato ser sobrenatural em um sentido mais absoluto — não como estando além desta ou daquela Natureza, mas além de toda e qualquer Natureza. Isto seria um tipo de milagre. O outro tipo seria a "interferência" divina, não por juntar duas Naturezas, mas simplesmente por ocorrer.[5]

---

[4]*Personagens e romances de Charles Dickens (1812–1870), escritor inglês. O primeiro livro citado foi publicado entre 1836 e 1837; o segundo, entre 1843 e 1844.

[5]*No original, a frase está assim, incompleta. Talvez a ideia seja: "Mas simplesmente por ser interferência".

Milagres

Tudo isso é, hoje em dia, puramente especulativo. De modo algum se conclui do Sobrenaturalismo que milagres de qualquer tipo ocorram de fato. Deus (a coisa primária) pode de fato nunca interferir no sistema natural que ele criou. Se ele criou mais do que um sistema natural, pode fazer com que eles jamais colidam um com o outro.

Contudo, essa é uma questão para análise posterior. Se concluirmos que a Natureza não é a única coisa que existe, então, não poderemos dizer antecipadamente se ela está a salvo de milagres ou não. Há coisas exteriores a ela: ainda não sabemos se podem entrar nela. Os portões podem ser barrados ou não. No entanto, se o Naturalismo for verdadeiro, sabemos antecipadamente que milagres são impossíveis: nada pode entrar na Natureza vindo de fora, pois não há nada fora dela para entrar, uma vez que a Natureza é tudo. Sem dúvida, os acontecimentos que, na nossa ignorância, são confundidos com milagres podem ocorrer, mas, na realidade, eles seriam (exatamente como os acontecimentos mais comuns) um resultado inevitável da natureza de todo o sistema.

A nossa primeira escolha, portanto, deve ser entre Naturalismo e Sobrenaturalismo.

CAPÍTULO 3

A principal dificuldade do Naturalismo

"Não podemos ter ambos os modos, e nenhuma zombaria pelas limitações da lógica [...] corrige o dilema."
I. A. Richards, Princípios de crítica literária, cap. xxv[1]

Se o Naturalismo for verdadeiro, cada coisa finita ou acontecimento deve ser (em princípio) explicável em termos do Sistema Total. Digo "explicável *em princípio*" porque, é claro, não vamos exigir que os naturalistas, em algum momento, devam ter encontrado a explicação detalhada de cada fenômeno. Obviamente, muitas coisas só serão explicadas quando as ciências tiverem progredido ainda mais. Mas, se o Naturalismo for aceito, temos o direito de exigir que cada coisa seja tal como vemos que, em geral, ela possa ser explicada em termos do Sistema Total. Se existe alguma coisa que é do tipo que vemos antecipadamente a impossibilidade de dar a ela *esse tipo* de explicação, o Naturalismo estaria em

---

[1]*Ivor Armstrong Richards (1893–1979), crítico, poeta e professor inglês. Seu livro *Princípios de crítica literária* é de 1924, publicado no Brasil em 1967.

Milagres

ruínas. Se as necessidades do pensamento nos forçam a permitir a qualquer coisa qualquer grau de independência em relação ao Sistema Total — se alguma coisa faz a reivindicação de existir por si mesma, de ser algo mais do que uma expressão do caráter da Natureza como um todo —, então, teremos abandonado o Naturalismo; pois, por Naturalismo, entendemos a doutrina de que apenas a Natureza — todo o sistema interligado — existe. E, se isso fosse verdade, cada coisa e acontecimento, se soubéssemos o suficiente, seriam explicáveis sem resíduos (sem *restinhos no copo*) como um produto necessário do sistema. Como todo o sistema é o que é, em parte haveria uma contradição se você não estivesse lendo este livro agora; e, inversamente, a única causa pela qual você está lendo deveria ser que todo o sistema, em tal e tal local e hora, estava fadado a seguir esse curso.

Recentemente, uma investida contra o Naturalismo estrito foi lançada, sobre a qual eu mesmo não oferecerei nenhum argumento, mas à qual seria bom darmos alguma atenção. Os cientistas mais antigos acreditavam que as menores partículas de matéria se moviam de acordo com leis estritas: em outras palavras, os movimentos de cada partícula estavam "interligados" com o sistema total da Natureza. Alguns cientistas modernos parecem pensar — se eu os entendo — que não é assim. Eles parecem pensar que a unidade individual da matéria (seria imprudente chamá-la por mais tempo de "partícula") se move de maneira indeterminada ou aleatória; ela se move, de fato, "por conta própria" ou "por vontade própria". A regularidade que observamos nos movimentos dos menores corpos visíveis é explicada pelo fato de que cada um deles contém milhões de unidades e que a lei das médias, portanto, nivela as idiossincrasias do comportamento de cada unidade. O movimento de uma unidade é incalculável, assim

A principal dificuldade do Naturalismo

como o resultado de se jogar uma moeda é incalculável: o movimento majoritário de um bilhão de unidades pode ser previsto, da mesma forma que, se você jogou uma moeda um bilhão de vezes, poderia prever que ela cairia um número quase igual de vezes como cara ou como coroa. Então, observemos que, se essa teoria for verdadeira, realmente admitimos algo que não seja a Natureza. Se os movimentos das unidades individuais forem acontecimentos "por conta própria", acontecimentos que não se entrelaçam com todos os outros, então, esses movimentos não fazem parte da Natureza. Seria, de fato, um choque muito grande para nossos hábitos descrevê-los como *sobre*naturais. Acho que deveríamos chamá-los de *sub*naturais; mas toda a nossa confiança de que a Natureza não tem portas, nem qualquer realidade exterior a ela para a qual essas portas poderiam se abrir, desapareceria. Aparentemente, há *algo* exterior à Natureza, o *Sub*natural; e é de fato a partir desse Subnatural que todos os acontecimentos e todos os "corpos" são, por assim dizer, alimentados nela. E, é claro, caso ela tenha uma porta dos fundos aberta para o Subnatural, é bastante provável que ela também tenha uma porta da frente para o Sobrenatural — e os acontecimentos podem ser alimentados nela àquela porta também.

Mencionei essa teoria porque ela coloca sob uma luz bastante vívida certas concepções que teremos de usar mais tarde, mas não estou, de minha parte, assumindo a verdade dela. Aqueles que, como eu, tiveram uma educação mais filosófica e não tanto científica acham quase impossível acreditar que os cientistas querem mesmo dizer o que parecem estar dizendo. Não posso deixar de pensar que eles estejam querendo apenas dizer que os movimentos de unidades individuais são permanentemente incalculáveis *para nós*, não que sejam, em si mesmos, aleatórios e sem lei.

Milagres

E, mesmo que tenham em mente essa última suposição, um leigo não poderá ter certeza alguma quanto a que algum novo desenvolvimento científico amanhã não venha a abolir toda essa ideia de uma Subnatureza sem lei, pois a glória da ciência é progredir. Por isso, volto-me de bom grado para outro terreno.

É claro que tudo o que sabemos, além de nossas próprias sensações imediatas, é inferido a partir dessas sensações. Não quero dizer que comecemos como crianças, considerando nossas sensações como "evidência" e, portanto, discutindo conscientemente sobre a existência de espaço, matéria e outras pessoas. Quero dizer que, ao atingirmos a idade suficiente para entender a questão, se nossa confiança na existência de qualquer outra coisa (digamos, o sistema solar ou a Armada Espanhola) for contestada, nosso argumento em defesa dela terá de assumir a forma de inferências a partir de nossas sensações imediatas. Em sua forma mais geral, a inferência seria: "Como me são apresentados sons, cores, formas, prazeres e dores que não posso perfeitamente prever ou controlar, e, quanto mais os investigo, mais regular é o comportamento deles; deve, portanto, existir algo diferente de mim, e isso deve ser sistemático". Dentro dessa inferência muito genérica, todas as séries especiais de inferência nos levam a conclusões mais detalhadas. Inferimos a Evolução a partir de fósseis; inferimos a existência de nosso próprio cérebro a partir do que encontramos, na sala de dissecação, dentro do crânio de outras criaturas parecidas conosco.

Todo o conhecimento possível depende, portanto, da validade do raciocínio. Se o sentimento de certeza que expressamos por palavras como "deve ser", "portanto" e "desde" for uma percepção real de como as coisas fora de nossa mente realmente "devem" ser, muito bem. No entanto, se essa certeza for apenas um sentimento *em* nossa mente e não um vislumbre genuíno das realidades além dela — se essa certeza apenas representar o modo como nossa mente funciona —, então, não podemos ter conhecimento. A menos que o raciocínio humano seja válido, nenhuma ciência pode ser verdadeira.

Segue-se que nenhuma narrativa a respeito do universo pode ser verdadeira, a menos que essa narrativa se permita ser, para nosso pensamento, um vislumbre real. Uma teoria que explicasse tudo o que há no universo inteiro, mas tornasse impossível acreditar que nosso pensamento fosse válido, seria totalmente excluída, pois essa teoria só seria alcançada pelo pensamento e, se o pensamento não fosse válido, a teoria seria, naturalmente, demolida. Ela teria destruído as próprias credenciais. Seria um argumento que provaria que nenhum argumento é sólido — uma prova de que não existe algo como provas —, o que não faz sentido.

Assim, um materialismo estrito refuta-se pela razão apresentada há muito tempo pelo professor Haldane: "Se meus processos mentais são determinados inteiramente pelos movimentos dos átomos em meu cérebro, não tenho motivos para supor que minhas crenças sejam verdadeiras [...] e, portanto, não tenho razão para supor que meu cérebro seja composto de átomos" (*Possible Worlds*, p. 209).[2]

Contudo o Naturalismo, mesmo que não seja puramente materialista, parece-me envolver a mesma dificuldade, embora

---

[2]*John Burdon Sanderson Haldane (1892–1964), cientista britânico naturalizado indiano. Na opinião de Walter Hooper, editor da obra de Lewis, "o professor Haldane, biólogo teórico, era ao mesmo tempo um marxista desiludido e violentamente anticristão" ("Prefácio", *Sobre histórias*; Rio de Janeiro: Thomas Nelson Brasil, 2018). Lewis dedica-lhe o cap. 9, "Uma resposta ao professor Haldane", desse livro. *Possible Worlds and Other Essays* [Mundos possíveis e outros ensaios] foi publicado em 1927.

de uma forma um pouco menos óbvia. Ele desacredita nossos processos de raciocínio ou, pelo menos, reduz o crédito que lhes é devido a um nível tão humilde, que não pode mais apoiar o próprio Naturalismo.

A maneira mais fácil de ver isto é perceber os dois sentidos da palavra "porque". Podemos dizer: "Vovô está doente hoje *porque* ele comeu lagosta ontem". Também podemos dizer: "Vovô deve estar doente hoje *porque* ainda não acordou (e sabemos que, quando está bem, ele sempre madruga)". Na primeira frase, "porque" indica a relação de Causa e Efeito: a comida o deixou doente. Na segunda, indica a relação do tipo chamado pelos lógicos de Antecedente e Consequente. O fato de o idoso ainda não ter levantado não é a causa de sua doença, mas a razão pela qual acreditamos que ele esteja doente. Há uma diferença semelhante entre: "Ele chorou *porque* isso o machucou" (Causa-Efeito) e: "Isto deve tê-lo machucado, *porque* ele chorou" (Antecedente-Consequente). Estamos bastante familiarizados com o porquê Antecedente e Consequente no raciocínio matemático: "A = C *porque*, como já provamos, ambos são iguais a B".

O primeiro porquê indica uma ligação dinâmica entre acontecimentos ou o "estado de coisas"; o outro, uma relação lógica entre crenças ou afirmações.

Agora, uma linha de raciocínio não tem valor como meio de encontrar a verdade, a menos que cada etapa dela esteja ligada ao que veio antes na relação Antecedente-Consequente. Se nosso B não se segue logicamente por nosso A, pensamos em vão. Se o que pensamos no fim de nosso raciocínio for verdadeiro, a resposta correta para a pergunta: "Por que você acha isso?" deve começar com o porquê Antecedente-Consequente.

Em contrapartida, todo acontecimento na Natureza deve estar ligado a acontecimentos anteriores na relação

Causa-Efeito. Nossos atos de pensamento, no entanto, são acontecimentos. Portanto, a verdadeira resposta para: "Por que você acha isso?" deve começar com o porqu*ê* de Causa-Efeito.

A menos que nossa conclusão seja o consequente lógico de um antecedente, ela não terá valor e poderá ser verdadeira apenas por um acaso. A menos que seja o efeito de uma causa, ela não pode ocorrer de modo algum. Para que uma linha de pensamento tenha algum valor, parece, portanto, que esses dois sistemas de ligação devem-se aplicar simultaneamente à mesma série de atos mentais.

Infelizmente, porém, os dois sistemas são distintos por completo. Ser causado não é ser provado. Os pensamentos, os preconceitos e as ilusões da loucura são todos causados, mas não têm fundamento. De fato, ser causado é tão diferente de ser provado que, ao debatê-los, nos comportamos como se fossem mutuamente excludentes. A mera existência de causas para uma crença é tratada popularmente como se suscitasse uma presunção de que ela não tem fundamento, e a maneira mais popular de desacreditar as opiniões de uma pessoa é explicá-las de modo causal: "Você diz isso *porque* (Causa e Efeito) você é um capitalista, ou um hipocondríaco, ou só um homem, ou apenas uma mulher". A implicação é que, se as causas explicam de modo pleno uma crença, então, uma vez que as causas inevitavelmente funcionam, a crença teria de surgir, quer ela tivesse fundamentos, quer não. Considera-se que não precisamos considerar motivos para algo que possa ser totalmente explicado sem eles.

Contudo, mesmo que existam motivos, o que exatamente eles têm a ver com a ocorrência real da crença como um acontecimento psicológico? Tratando-se de um acontecimento, ele deve ser causado. De fato, ele deve ser simplesmente um elo de uma cadeia causal que volta até o início e avança até o fim dos tempos. Como uma ninharia, como a falta de antecedentes lógicos, pode impedir a ocorrência da crença ou como a existência de antecedentes pode promovê-la?

Parece haver apenas uma resposta possível. Devemos dizer que, assim como um modo pelo qual um acontecimento mental causa um acontecimento mental subsequente é a Associação (quando penso em pastinacas, penso em minha primeira escola), então, outro modo pelo qual ele pode causar um acontecimento é por apenas ser um antecedente para isso. Desse modo, ser uma causa e ser uma prova coincidiriam.

Isso, no entanto, como é apresentado, é claramente falso. Sabemos por experiência que um pensamento não causa necessariamente todos, ou mesmo nenhum, dos pensamentos que logicamente o sustentam como Consequentes ao Antecedente. Estaríamos em apuro se nunca pudéssemos pensar: "Isto é vidro" sem deduzir todas as inferências que poderiam ser deduzidas. É impossível deduzir todas elas; muitas vezes não deduzimos nenhuma. Portanto, devemos alterar nossa lei sugerida. Um pensamento pode causar outro não por *ser*, mas por *ser visto* como um antecedente para isso.

Se você desconfia da metáfora sensorial na palavra "visto", pode substituí-la por "apreendido", ou "compreendido", ou simplesmente "conhecido". Faz pouca diferença, pois todas essas palavras nos lembram do que realmente o pensamento é. Atos de pensamento são, sem dúvida, acontecimentos, mas de um tipo muito especial. Eles são "sobre" algo diferente de si mesmos e podem ser verdadeiros ou falsos. Os acontecimentos em geral não são "sobre" nada e não podem ser verdadeiros ou falsos. (Dizer: "Estes eventos ou fatos são falsos" significa, é claro, que o relato de alguém sobre eles é falso.) Portanto, os atos de inferência podem, e devem, ser considerados sob duas luzes diferentes. Por um lado, são eventos

A principal dificuldade do Naturalismo

subjetivos, itens da história psicológica de alguém. Por outro lado, são percepções, ou conhecimentos, sobre algo diferente de si mesmos. O que, do primeiro ponto de vista, é a transição psicológica do pensamento A para o pensamento B, em algum momento específico de uma mente específica é, do ponto de vista do pensador, a percepção de uma implicação (se A, então B). Quando adotamos o ponto de vista psicológico, podemos usar o tempo passado: "B *decorreu* de A em meus pensamentos"; mas, quando afirmamos a implicação, sempre usamos o presente: "B *decorre* de A". Se ele "decorre de" no sentido lógico, ele o faz sempre e não podemos rejeitar o segundo ponto de vista como uma ilusão subjetiva sem desacreditar todo o conhecimento humano, pois nada podemos saber, além de nossas próprias sensações em dado momento, a menos que o ato de inferência seja a real percepção que afirma ser.

Contudo, isso pode ser assim apenas em certos termos. Um ato de conhecimento deve ser determinado, em certo sentido, apenas pelo que é conhecido; devemos saber que é assim apenas porque *é* assim. É isso que significa saber. Você pode chamar isso de "porque" de Causa e Efeito, e, se quiser, pode chamar "ser conhecido" de um modo de causalidade, mas é um modo único. O ato de conhecer tem, sem dúvida, várias condições, sem as quais não poderia ocorrer: a atenção e os estados de vontade e de saúde que isso pressupõe. Seu caráter positivo, no entanto, deve ser determinado pela verdade que ele conhece. Se fosse totalmente explicável por outras fontes, deixaria de ser conhecimento, assim como (para usar o paralelo sensorial) o tinido em meus ouvidos deixa de ser o que chamamos de "audição" se puder ser totalmente explicado por outras causas que não sejam o barulho no mundo exterior, como, por exemplo, o *zumbido* produzido por um resfriado forte. Se o que parece ser um ato de conhecimento é em parte explicável por outras fontes, então o conhecimento (assim chamado de modo apropriado) nele é apenas o que elas deixam como necessário para explicar o que é conhecido, assim como a audição real é o que fica depois de se ter desconsiderado o zumbido. Qualquer coisa que professa explicar de maneira cabal nosso raciocínio sem introduzir um ato de conhecimento assim determinado exclusivamente pelo que se conhece é, de fato, uma teoria de que não há raciocínio.

E isso, como me parece, é o que o Naturalismo se obriga a fazer. Ele oferece o que professa ser um relato completo de nosso comportamento mental; mas esse relato, sob inspeção, não deixa espaço para os atos de conhecimento ou para a percepção dos quais todo o valor de nosso pensamento, como um meio para a verdade, depende.

Há um consenso de que a razão, e mesmo a sensibilidade, e a própria vida apareceram tardiamente na Natureza. Se não há nada além da Natureza, portanto, a razão deve ter vindo a existir por um processo histórico. E, claro, para o Naturalista, esse processo não foi projetado para produzir um comportamento mental que possa encontrar a verdade. Não havia Projetista; e, de fato, até que houvesse pensadores, não havia verdade ou falsidade. O tipo de comportamento mental que agora chamamos de pensamento racional ou inferência deve, portanto, ter "evoluído" pela seleção natural, pela eliminação gradual de tipos menos aptos a sobreviver.

Em determinada época, então, nossos pensamentos não eram racionais. Ou seja, todos os nossos pensamentos eram em determinada época, como muitos de nossos pensamentos ainda são, meros acontecimentos subjetivos, não apreensões da verdade objetiva. Aqueles que tinham uma causa externa a nós mesmos eram (como nossas dores) respostas a estímulos.

Agora a seleção natural poderia operar apenas pela eliminação de respostas biologicamente prejudiciais e multiplicando aqueles que tendiam à sobrevivência. Contudo, não é concebível que qualquer aperfeiçoamento das respostas poderia transformá-las em atos de percepção, nem mesmo remotamente tenderiam a fazê-lo. A relação entre resposta e estímulo é totalmente diferente da que ocorre entre o conhecimento e a verdade conhecida. Nossa visão física é uma resposta muito mais útil à luz do que a dos organismos mais primitivos que possuem apenas um ponto fotossensível, mas nem esse aperfeiçoamento nem quaisquer possíveis aperfeiçoamentos que imaginássemos poderiam aproximá-lo um pouco mais do conhecimento da luz. Há de se reconhecer que é algo sem o qual não poderíamos ter esse conhecimento. O conhecimento, no entanto, é alcançado por meio de experimentos e de inferências que derivam deles, e não pelo refinamento da resposta. Não são os homens com olhos especialmente bons que conhecem a luz, mas os homens que estudaram as ciências relevantes. Do mesmo modo, nossas respostas psicológicas ao ambiente — deleites, curiosidades, aversões, expectativas — poderiam ser indefinidamente aperfeiçoadas (do ponto de vista biológico) sem se tornarem nada mais do que respostas. Essa perfeição das respostas não racionais, longe de corresponder à sua conversão em inferências válidas, pode ser concebida como um método diferente de alcançar a sobrevivência — uma alternativa à razão. Um condicionamento que garantisse que nunca sentiríamos prazer, exceto no que é útil, nem aversão, exceto quanto ao que é perigoso, e que os graus de ambos seriam primorosamente proporcionais ao grau de utilidade ou de perigo reais no objeto, poderia nos servir tanto quanto a razão ou, em algumas circunstâncias, melhor que ela.

Além da seleção natural, há, contudo, a experiência — experiência originalmente individual, mas transmitida por tradição e instrução. Pode-se afirmar que ela, no decorrer de milênios, poderia apelar ao comportamento mental que chamamos de razão — em outras palavras, a prática da inferência — a partir de um comportamento mental que originalmente não era racional. Experiências repetidas de encontrar fogo (ou restos de fogo) onde um homem viu fumaça condicionaram-no a esperar fogo sempre que visse fumaça. Essa expectativa, exprimida na fórmula "onde há fumaça, há fogo", se torna o que chamamos de inferência. Teriam todas as nossas inferências se originado dessa maneira?

Se isso ocorreu, são todas inferências inválidas. Esse processo, sem dúvida, produzirá expectativa. Ele treinará os homens a esperar fogo quando virem fumaça, da mesma maneira que os treinou a esperar que todos os cisnes sejam brancos (até que vejam um preto) ou que a água sempre ferva a 100°C (até que alguém tente um piquenique na montanha). Essas expectativas não são inferências nem precisam ser verdadeiras. A suposição de que as coisas que foram unidas no passado sempre serão unidas no futuro é o princípio norteador não do comportamento racional, mas do animal. A razão se manifesta precisamente quando você faz a inferência: "Uma vez que estiveram sempre ligadas, portanto estavam provavelmente ligadas", e continua tentando descobrir o elo. Quando você descobrir o que é fumaça, poderá substituir a mera expectativa de fogo por uma inferência genuína. Enquanto isso não for feito, a razão reconhece a expectativa como mera expectativa. Onde isso não precisa ser feito — ou seja, onde a inferência depende de um axioma —, não apelamos de modo algum à experiência passada. Minha crença de que coisas iguais à mesma coisa são iguais entre si não se baseia no fato de que eu nunca as flagrei se comportando de outra maneira. Eu vejo que "deve" ser assim. O fato de algumas pessoas hoje chamarem axiomas de tautologias me parece irrelevante. É por meio dessas "tautologias" que passamos de saber menos para saber mais. E chamá-los de tautologias é outra maneira de dizer que eles são completamente e certamente conhecidos. Ver completamente que A implica B envolve (uma vez que você viu esse fato) admitir que tanto a afirmação de A como a de B são, no fundo, a mesma afirmação. O grau em que qualquer proporção verdadeira é uma tautologia que depende do grau de sua percepção sobre ela. A operação 9 × 7 = 63 é uma tautologia para o aritmético perfeito, mas não para a criança que aprende a tabuada nem para o calculador primitivo que achou a resposta, talvez, adicionando sete noves. Se a Natureza fosse um sistema totalmente interligado, todas as afirmações verdadeiras sobre ela (como, por exemplo, que foi um verão quente em 1959) seriam uma tautologia para uma inteligência que pudesse compreender esse sistema em sua totalidade. "Deus é amor"[3] pode ser uma tautologia para os serafins, não para homens.

"Mas", alguém poderá dizer, "é incontestável que de fato alcançamos as verdades por meio de inferências". Certamente. O Naturalista e eu admitimos isso. Não poderíamos discutir nada, a menos que concordássemos. A diferença que estou apresentando é que ele oferece, e eu não, uma história da evolução da razão que é inconsistente com as alegações de que ele e eu temos de fazer inferência à medida que a praticamos, pois sua história é, e, pela natureza do caso, só pode ser, um relato, em termos de Causa e Efeito, de como as pessoas vieram a

---

[3]*1João 4:8.

pensar do modo como o fazem. E, é claro, isso deixa no ar a questão bem diferente sobre como elas poderiam ser justificadas por pensar assim. Isso impõe a ele a tarefa muito embaraçosa de tentar mostrar como o produto evolucionário que descreveu também pode ser uma capacidade de "ver" verdades.

Contudo a própria tentativa é absurda. É possível ver isso mais claramente se considerarmos a forma mais humilde e quase desesperadora em que ela pode ser apresentada. O Naturalista poderia dizer: "Bem, talvez não possamos exatamente ver — ainda não — como a seleção natural transformaria o comportamento mental sub-racional em inferências que alcançam a verdade, mas estamos certos de que isso de fato aconteceu, pois a seleção natural é obrigada a preservar e a aumentar o comportamento útil. E também descobrimos que nossos hábitos de inferência são, de fato, úteis. E, se são úteis, deverão alcançar a verdade". Contudo, observe o que está sendo feito. A própria inferência está sendo julgada; isto é, o Naturalista deu uma explicação a respeito do que pensávamos ser nossas inferências, o que sugere que elas não são, afinal de contas, percepções reais. Nós todos, incluindo ele, queremos estar bem seguros. E a garantia vem a ser mais uma inferência (se útil, então verdadeira), como se essa inferência não estivesse, uma vez que aceitemos seu quadro evolutivo, sob a mesma suspeita de todos os demais. Se o valor do nosso raciocínio estiver em dúvida, você não poderá tentar determiná-lo pelo raciocínio. Se, como eu disse acima, uma prova de que não há provas é sem sentido, é também uma prova de que existem provas. A razão é nosso ponto de partida. Não é questão de atacá-la ou defendê-la. Se, por tratá-la como mero fenômeno, você se situa fora dela, então, não há como, a não ser por tomar a questão como provada, colocar-se dentro dela novamente.

A principal dificuldade do Naturalismo

Uma posição ainda mais humilde permanece. Você pode, se quiser, desistir de todas as reivindicações da verdade. Você pode dizer simplesmente: "Nossa maneira de pensar é útil", sem acrescentar, mesmo em voz baixa, "e, portanto, verdadeira". Isso nos permite recolocar um osso no lugar, e construir uma ponte, e fazer um satélite Sputnik. E isso já é bastante bom. As antigas e altas pretensões da razão devem ser abandonadas. É um comportamento que evoluiu inteiramente como um auxílio à prática. É por isso que, quando o usamos apenas para a prática, tudo dá certo; mas, quando nos permitimos a especulação e tentamos obter visões gerais da "realidade", terminamos nos debates intermináveis, inúteis e, é bem possível, meramente verbais do filósofo. Seremos mais humildes no futuro. Adeus a tudo isso. Não há mais teologia, não há mais ontologia, não há mais metafísica...

Do mesmo modo, não há mais Naturalismo. Sem dúvida, o Naturalismo é um dos principais exemplos dessa especulação imponente, descoberta na prática e que vai muito além da experiência, que agora está sendo condenada. A Natureza não é um objeto que pode ser apresentado aos sentidos ou à imaginação. Só pode ser alcançado pelas inferências mais remotas, ou jamais alcançado, apenas nos aproximamos dele. É a unificação esperada, assumida, em um único sistema interligado, de todas as coisas inferidas de nossos experimentos científicos. Inclusive, o Naturalista, não contente em afirmar tal coisa, prossegue com a ampla afirmação negativa: "Não há nada além disso". Uma afirmação, com certeza, tão distante da prática, da experiência e de qualquer verificação concebível que já foi feita desde que os homens começaram a usar a razão de forma especulativa. No entanto, no entendimento atual, o primeiro passo para esse uso foi um abuso, a perversão de uma faculdade que era apenas prática, e a fonte de todas as quimeras.

Nesses termos, a posição do Teísta deve ser uma quimera quase tão ultrajante quanto a do Naturalista. (Perto disso, mas não tanto; ela se abstém da majestosa audácia de uma negativa total.) Mas o Teísta não precisa nem aceita esses termos como verdadeiros. Ele não está comprometido com o ponto de vista de que a razão é um desenvolvimento relativamente recente moldado por um processo de seleção que pode escolher apenas o que é biologicamente útil. Para ele, a razão — a razão de Deus — é mais antiga que a Natureza, e dela deriva a ordem da Natureza, que por si só nos permite conhecê-la. Para ele, a mente humana no ato de conhecer é iluminada pela razão Divina. Ela está livre, na medida necessária, do enorme nexo de causalidade não racional; livre disso para ser determinada pela verdade conhecida. E os processos preliminares na Natureza que levaram a essa libertação, se houver alguma, foram projetados para fazê-lo.

Chamar o ato de saber — o ato, não de lembrar que alguma coisa existia no passado, mas de "ver" que ela deve ter sido sempre assim e em qualquer mundo possível —, chamar esse ato de "sobrenatural", é uma violência a nosso uso linguístico comum. Mas, é claro, que não queremos dizer com isso que seja assustador, ou sensacional, ou mesmo (em qualquer sentido religioso) "espiritual". Queremos apenas dizer que "não se encaixa nisso"; que tal ato, para ser o que afirma ser — e, se não for, todo o nosso pensamento é desacreditado —, não pode ser meramente a exibição, em um local e hora específicos, desse sistema total, e amplamente descuidado, de acontecimentos chamado de "Natureza". Ele deve-se libertar suficientemente dessa cadeia universal para ser determinado pelo que sabe.

É de alguma importância aqui assegurar-nos de que, se as imagens de vagas referências ao espaço se intrometerem (e, em muitos sentidos, isso certamente ocorrerá), elas não devem ser do tipo errado. É melhor não considerarmos nossos atos da razão como algo "acima", ou "por trás", ou "além" da Natureza. Em vez disso, considerá-los como sendo "este lado da Natureza" — se você precisa imaginar em termos espaciais, imagine-os entre nós e ela. De qualquer modo, é por inferências que construímos a ideia da Natureza. A razão é dada antes da Natureza, e nosso conceito de Natureza depende da razão. Nossos atos de inferência são anteriores à nossa imagem da Natureza, quase como o telefone é anterior à voz do amigo que ouvimos graças a ele. Quando tentamos encaixar esses atos na imagem da Natureza, falhamos. O item que colocamos nessa imagem e identificamos como "Razão" sempre se mostra de alguma forma diferente da razão da qual desfrutamos e a qual exercitamos enquanto o identificamos. A descrição que precisamos dar ao pensamento de ser ele um fenômeno evolutivo sempre faz uma exceção tácita em favor do pensamento que nós mesmos realizamos naquele momento. Pois um deles só pode, como qualquer outro feito particular, exibir, em momentos particulares em consciências particulares, o trabalho geral e, em grande parte, não racional de todo o sistema inter-relacionado. O outro, nosso ato atual, reivindica e deve reivindicar ser um ato de percepção, um conhecimento suficientemente livre de causas não racionais para ser determinado (positivamente) apenas pela verdade que conhece. Contudo, o pensamento imaginado que colocamos na imagem depende — porque toda a nossa ideia de Natureza depende — da ação de pensar que estamos de fato realizando, e não vice-versa. Essa é a realidade primária, sobre a qual a atribuição de realidade de qualquer outra coisa repousa. Se isso não se encaixa na Natureza, não podemos evitar. Certamente, no tocante a isso, não vamos desistir. Se o fizermos, também deveríamos desistir da Natureza.

CAPÍTULO 4

Natureza e Sobrenatureza

> "Ao longo da extensa tradição do pensamento europeu, foi dito, não por todos, mas pela maioria das pessoas, ou, pelo menos, pela maioria daqueles que provaram que têm o direito de serem ouvidos, que a Natureza, embora seja algo que realmente existe, não é algo que existe em si mesma ou por si só, mas é uma coisa que depende, para sua existência, de algo mais."
>
> R. G. Collingwood, The Idea of Nature, III, III[1]

Se nosso argumento ficou bem estabelecido, os atos de raciocínio não são interligados com o sistema total interligado da Natureza como todos os seus outros itens são interligados. Eles estão conectados a ela de uma maneira diferente, assim como a compreensão sobre uma máquina certamente está conectada à máquina, mas não do mesmo modo como as partes da máquina estão conectadas umas às outras.

---

[1] Robin George Collingwood (1889–1943), historiador e filósofo inglês que tentou conciliar ambas disciplinas. Obra póstuma, *The Idea of Nature* [A ideia de natureza], foi publicada em 1945.

O conhecimento de uma coisa não é uma das partes da coisa. Nesse sentido, algo além da Natureza opera sempre que raciocinamos. Não estou afirmando que a consciência como um todo deva necessariamente ser colocada na mesma posição. Prazeres, dores, medos, esperanças, afetos e imagens mentais não precisam. Nenhum absurdo se seguiria de considerá-los como partes da Natureza. A distinção que temos de fazer não é entre "mente" e "matéria", muito menos entre "alma" e "corpo" (palavras difíceis, todas as quatro), mas entre Razão e Natureza: a fronteira entre elas não está onde "o mundo exterior" termina e o que eu normalmente deveria chamar de "eu mesmo" começa, mas está entre a razão e toda a massa de acontecimentos não racionais, físicos ou psicológicos.

Nessa fronteira, encontramos uma grande quantidade de tráfego, mas é inteiramente de mão única. É da experiência diária que pensamentos racionais induzam-nos e nos permitam alterar o curso da Natureza — da natureza física, quando usamos a matemática para construir pontes; ou da natureza psicológica, quando aplicamos argumentos para alterar nossas próprias emoções. Conseguimos modificar a natureza física com mais frequência e mais completamente do que conseguimos modificar a natureza psicológica, mas fazemos pelo menos um pouco de ambos. Por outro lado, a Natureza é bastante impotente para produzir pensamento racional: não que ela nunca modifique nosso pensamento; acontece que, no momento em que ela o faz, o pensamento deixa (por essa mesma razão) de ser racional, pois, como temos visto, uma sequência de pensamentos perde todas as credenciais racionais assim que ela mostra ser totalmente o resultado de causas não racionais. Quando a Natureza, por assim dizer, tenta fazer coisas com os pensamentos racionais, ela tão somente consegue matá-los. Esse é o estado peculiar das coisas na fronteira. A Natureza só pode invadir a Razão

Milagres

para matar, mas a Razão pode invadir a Natureza para fazer prisioneiros e até colonizar. Todo objeto que você vê diante de si neste momento — paredes, teto e móveis, o livro, suas próprias mãos lavadas e unhas cortadas — dá testemunho da colonização da Natureza pela Razão, pois nada disso estaria nesse estado se a Natureza seguisse seu curso. E, se você está acompanhando meu argumento tão de perto quanto eu espero, essa atenção também resulta de hábitos que a Razão impôs às divagações naturais da consciência. Se, por outro lado, neste momento, uma dor de dente ou uma ansiedade está impedindo você de prestar atenção, a Natureza está de fato interferindo em sua consciência, mas não para produzir uma nova variedade de raciocínio, apenas (tanto quanto isso dela dependa) para suspender a Razão completamente.

Em outras palavras, a relação entre Razão e Natureza é o que algumas pessoas chamam de Relação Assimétrica. A fraternidade é uma relação simétrica porque, se A é o irmão de B, B é o irmão de A. Pai-filho é uma relação assimétrica porque, se A é o pai de B, B *não* é o pai de A. A relação entre Razão e Natureza é desse tipo. A razão não está relacionada à Natureza como a Natureza está relacionada à Razão.

Estou bastante consciente de como é chocante para quem foi apresentado ao Naturalismo deparar com a imagem que começa a se mostrar. Ela é, francamente, uma imagem na qual a Natureza (em qualquer medida na superfície de nosso planeta) é perfurada ou marcada por pequenos orifícios, em cada um dos quais algo de um tipo diferente dela — a razão — pode fazer coisas para ela. Só posso lhe implorar, antes que você jogue o livro longe, que considere seriamente se sua repugnância instintiva a tal concepção é realmente racional ou se é apenas emocional ou estética. Eu sei que a ânsia por um universo que fosse todo uma única peça, e no qual tudo fosse do mesmo tipo de tudo o mais — uma continuidade, uma teia sem emendas, um universo democrático —, está profundamente enraizada no coração moderno: no meu, não menos do que no seu. Contudo, temos alguma garantia real de que as coisas são assim? Estamos confundindo com uma probabilidade intrínseca o que é realmente um desejo humano de ordem e harmonia? Bacon nos alertou há muito tempo que:

> O intelecto humano, mercê de suas peculiares propriedades, facilmente supõe maior ordem e regularidade nas coisas que de fato nelas se encontram. Desse modo, como na natureza existem muitas coisas singulares e cheias de disparidades, aquele imagina paralelismos, correspondências e relações que não existem. Daí a suposição de que no céu todos os corpos devem mover-se em círculos perfeitos (*Novum Organum*, I, 45)[2].

Penso que Bacon estava certo. A própria ciência já fez a realidade parecer menos homogênea do que esperávamos que ela fosse: o atomismo newtoniano era muito mais o tipo de coisa que esperávamos (e desejávamos) do que a física quântica.

Se você puder, ainda que por um momento, suportar a imagem sugerida pela Natureza, consideremos agora o outro fator: as Razões, ou instâncias da Razão, que a atacam. Vimos que o pensamento racional não faz parte do sistema da Natureza. Dentro de cada homem, deve haver uma área (por menor

---

[2]*Francis Bacon (1561–1626), filósofo e cientista inglês. Em *Novum Organum ou Verdadeiras indicações acerca da interpretação da natureza*, de 1620, ele detalha um novo sistema de lógica, um método experimental para interpretação de dados. A citação é de *Novum Organum*, Coleção *Os pensadores*, vol. XIII. Trad. José Aluysio Reis de Andrade. São Paulo: Abril Cultural, 1973.

que seja) de atividade que seja externa a ela ou independente dela. Em relação à Natureza, o pensamento racional continua "por conta própria" ou existe "por si mesmo". Não se depreende daí que o pensamento racional exista *absolutamente* por si próprio. Ele pode ser independente da Natureza por ser dependente de outra coisa, pois não é simplesmente a dependência, mas a dependência do não racional, que mina as credenciais do pensamento. A razão de um homem foi levada a ver as coisas com o auxílio da razão de outro homem, e não é pior por causa disso. Portanto, ainda é uma questão em aberto se a razão de cada homem existe absolutamente por si mesma ou se é o resultado de alguma causa (racional) — de fato, de alguma outra Razão. Pode-se conceber que essa outra Razão seja dependente de uma terceira, e assim por diante; não importa o quão extensamente esse processo seja realizado, desde que se encontre a Razão vindo da Razão em cada estágio. Somente quando lhe é pedido para acreditar na Razão proveniente da não razão é que você deve clamar para que parem, pois, se não o fizer, todo o pensamento será desacreditado. Portanto, é óbvio que mais cedo ou mais tarde você deve admitir uma Razão que existe absolutamente por si mesma. O problema é se você ou eu podemos ser tal Razão autoexistente.

Essa pergunta quase responde a si mesma no momento em que lembramos o que significa "por si só". Significa aquele tipo de existência que os Naturalistas atribuem ao "espetáculo todo" e os Sobrenaturalistas atribuem a Deus. Por exemplo: o que existe por si só deve ter existido desde toda a eternidade, pois, se algo mais o tivesse feito começar a existir, ele não existiria por si só, mas por causa de outra coisa. Isso também deve existir incessantemente; isto é, não pode deixar de existir e depois começar de novo. Ao deixar de existir, obviamente não poderá chamar a si mesmo à existência e, se alguma outra coisa o chamar, ele seria um ser dependente.

Agora está claro que minha Razão cresceu gradualmente desde o meu nascimento e é interrompida por várias horas a cada noite. Não posso, portanto, ser a Razão eterna e autoexistente que não cochila nem dorme. No entanto, se qualquer pensamento é válido, essa Razão deve existir e deve ser a fonte de minha própria racionalidade imperfeita e intermitente. As mentes humanas, então, não são as únicas entidades sobrenaturais que existem. Elas não vêm do nada. Cada uma delas é integrada à Natureza advinda da Sobrenatureza: cada uma delas tem sua raiz-mestra em um Ser eterno, autoexistente, racional, a quem chamamos de Deus. Cada uma delas é uma ramificação, ou ponta de lança, ou incursão dessa realidade Sobrenatural na Natureza.

Nesse ponto, algumas pessoas podem levantar a seguinte questão: "Se a Razão às vezes está presente em minha mente e às vezes, não, então, em vez de dizer que 'eu' sou um produto da Razão eterna, não seria mais sábio dizer apenas que a própria Razão eterna ocasionalmente funciona mediante meu organismo, deixando-me existir apenas como um ser natural?" Um fio não se torna algo diferente de um fio porque uma corrente elétrica passou por ele. Contudo, falar assim é, na minha opinião, esquecer como é o raciocínio. Não é um objeto que colide conosco, nem mesmo uma sensação que sentimos. O raciocínio não nos "acontece": nós o *fazemos*. Toda a linha de pensamento é acompanhada pelo que Kant chamou de "*eu penso*".[3] A doutrina tradicional de que sou uma

---

[3*]Immanuel Kant (1742–1804), filósofo alemão, criador da filosofia crítica, em que procurava determinar os limites da razão e analisar o motivo das ações humanas e a relação delas com a moral.

Milagres

criatura a quem Deus deu razão, mas que é distinta de Deus, me parece muito mais filosófica do que a teoria de que o que parece ser meu pensamento é apenas o pensamento de Deus através de mim. Neste último ponto de vista, é muito difícil explicar o que acontece quando penso corretamente, mas chego a uma conclusão falsa porque fui mal informado sobre os fatos. Não entendo por que Deus — que presumivelmente conhece os fatos reais — deveria sofrer para pensar qualquer de seus pensamentos perfeitamente racionais por meio de uma mente que está fadada a produzir erros. Tampouco entendo por que, se todo o "meu" pensar válido é realmente de Deus, ele deveria confundi-lo com o meu ou fazer com que eu o confundisse com o meu. Parece muito mais provável que o pensamento humano não seja o de Deus, mas sim incitado por Deus.

Devo apressar-me, no entanto, a acrescentar que este é um livro sobre milagres, não sobre tudo. Não estou tentando apresentar nenhuma doutrina completa sobre o homem[4], nem muito menos estou tentando introduzir clandestinamente um argumento a favor da "imortalidade da alma". Os mais antigos documentos cristãos dão um assentimento casual e não enfático à crença de que a parte sobrenatural do homem sobrevive à morte do organismo natural, mas eles estavam bem pouco interessados no assunto. Aquilo em que eles estavam intensamente interessados era a restauração ou "ressurreição", por meio de um ato divino milagroso, de toda a complexa criatura, e, enquanto não chegarmos a alguma conclusão sobre milagres em geral, certamente não discutiremos isso. Nesse estágio, o elemento sobrenatural do homem

---

[4]Ver apêndice A.

nos interessa apenas como evidência de que algo que está além da Natureza existe. A dignidade e o destino do homem não têm, no momento, relação alguma com o argumento. Estamos interessados no homem apenas porque sua racionalidade é a pequena fenda denunciadora da Natureza que mostra que há algo além ou por trás dela.

Em um lago cuja superfície estava completamente coberta de espuma e vegetação flutuante poderia haver alguns nenúfares. E é claro que você pode se interessar por eles por causa de sua beleza; mas você também pode se interessar por eles porque, a partir de sua estrutura, deduziria que eles têm caules por baixo, que se enraizaram no fundo. O Naturalista pensa que a lagoa (a Natureza — o grande acontecimento no espaço e no tempo) é de profundidade indefinida — que não há nada além de água, por mais que você mergulhe. Minha afirmação é que algumas coisas na superfície (isto é, em nossa experiência) mostram o contrário. Essas coisas (mentes racionais) revelam, se examinadas com atenção, que, pelo menos, elas não estão flutuando, mas presas por caules ao fundo. Portanto, a lagoa tem um fundo. Ela não é só lagoa, lagoa para sempre. Mergulhe fundo o suficiente, e você chegará a algo que não é lagoa — à lama e à terra e depois à rocha e, finalmente, a toda maior parte da Terra e ao fogo subterrâneo.

Nesse ponto, é tentador ver se o Naturalismo não pode ainda ser salvo. Eu apontei no segundo capítulo que alguém poderia permanecer um Naturalista e, ainda assim, acreditar em certo tipo de Deus — uma consciência cósmica à qual "o espetáculo todo" de alguma forma deu origem; o que poderíamos chamar de Deus *Emergente*. Um Deus Emergente não nos daria tudo de que precisamos? É realmente necessário trazer para a discussão um Deus *sobre*natural, distinto e fora de todo o sistema interligado? (Observe, Leitor Moderno, como seu espírito se eleva — quão mais em casa você se sentiria com um Deus emergente, mais do que com um Deus transcendente — com quão menos primitiva, repugnante e ingênua a concepção emergente lhe parecer. Pois disso, como você verá mais tarde, pende uma narrativa.)

Contudo, receio que isso não funcione. É claro que é possível supor que, quando todos os átomos do universo entrassem em certa relação (na qual eles deveriam entrar mais cedo ou mais tarde), eles dariam origem a uma consciência universal. E ela poderia ter pensamentos. E ela poderia fazer com que esses pensamentos passassem pela mente dos homens. Infelizmente, porém, seus próprios pensamentos, nessa suposição, seriam o produto de causas não racionais e, portanto, pela regra que usamos diariamente, elas não teriam validade. Essa mente cósmica seria, tanto quanto nossa própria mente, o produto da Natureza sem mente. Não escapamos da dificuldade, apenas a recuamos para um estágio mais anterior. A mente cósmica nos ajudará apenas se a colocarmos no princípio, se supusermos que ela é, não o produto do sistema total, mas o Fato básico, original e autoexistente, que é por si só. Mas admitir *esse* tipo de mente cósmica é admitir um Deus fora da Natureza, um Deus transcendente e sobrenatural. Essa rota, que parecia oferecer um escape, de fato nos leva de volta ao ponto de partida.

Existe, então, um Deus que não faz parte da Natureza, mas nada foi dito ainda para mostrar que ele deve tê-la criado. Deus e a Natureza podem ser autoexistentes e totalmente independentes um do outro? Se você pensasse que sim, seria um Dualista e adotaria uma visão que considero mais valorosa e mais razoável do que qualquer forma de Naturalismo. Você pode ser muito pior do que um Dualista, mas não acho que o Dualismo seja verdadeiro. Há uma dificuldade enorme em conceber duas coisas que tão somente coexistem e não têm outra relação entre si. Se essa dificuldade, às vezes, foge a nossa percepção, é porque somos vítimas do pensamento visual. Nós realmente as imaginamos lado a lado em algum tipo de espaço. É claro que se ambas estivessem em um espaço comum, ou em um tempo comum, ou em qualquer tipo de meio comum, seriam partes de um sistema, na verdade de uma "Natureza". Mesmo que consigamos eliminar essas imagens, o mero fato de tentarmos pensar nelas juntas despreza a dificuldade real, porque, naquele momento, de qualquer maneira, nossa própria mente é o meio comum. Se pode haver algo como pura "alteridade", se as coisas podem coexistir e nada mais, isso é, de qualquer forma, uma concepção que minha mente não pode formar. E, no presente caso, parece especialmente gratuito tentar formá-la, pois já sabemos que Deus e a Natureza entraram em certa relação. Eles têm, no mínimo, uma relação — em certo sentido, quase uma fronteira comum — em toda mente humana.

As relações que emergem nessa fronteira são, sem dúvida, do tipo mais complicado e íntimo. Essa ponta de lança do Sobrenatural, que chamo de minha razão, liga-se a todos os meus conteúdos naturais — minhas sensações, emoções e coisas do gênero — tão completamente que chamo a mistura pela única palavra "eu". Uma vez mais, existe o que chamei de caráter assimétrico das relações de fronteira. Quando o estado físico do cérebro domina meu pensamento, isso produz apenas desordem. Contudo, meu cérebro não se torna menos cérebro quando é dominado pela Razão, nem minhas emoções e sensações se tornam menos emoções e sensações. A Razão salva e fortalece todo o meu sistema, psicológico e físico, enquanto todo esse sistema, ao se rebelar contra a Razão, destrói a razão e a si mesmo. A metáfora militar de uma ponta de lança foi aparentemente mal escolhida. A Razão sobrenatural entra em meu ser natural não como uma arma, porém mais como um raio de luz que ilumina ou um princípio de organização que unifica e se desenvolve. Toda a imagem que fizemos da natureza sendo "invadida" (como se por um inimigo estrangeiro) estava errada. Quando, na verdade, examinamos uma dessas invasões, ela se parece muito mais com a chegada de um rei a seus próprios súditos ou com um cornaca visitando o próprio elefante. O elefante pode atacá-lo cegamente por causa da ira, a Natureza pode ser rebelde. No entanto, observando o que acontece quando a Natureza obedece, é quase impossível não concluir que é de sua própria "natureza" ser um súdito. Tudo acontece como *se* ela tivesse sido projetada especificamente para esse papel.

Acreditar que a Natureza produziu Deus, ou mesmo a mente humana, é, como temos visto, absurdo. Acreditar que os dois são independentemente autoexistentes é impossível; pelo menos a tentativa de fazê-lo me torna incapaz de dizer que estou pensando em outra coisa qualquer. É verdade que o Dualismo tem certa atração teológica: parece tornar mais simples o problema do mal; mas se, na verdade, não conseguimos pensar no Dualismo até suas últimas implicações, essa promessa atraente jamais poderá ser cumprida, e acho que existem soluções melhores para o problema do mal. Resta, então, a crença de que Deus criou a Natureza. Isso de imediato proporciona uma relação entre eles e elimina a dificuldade da pura "alteridade". Isso também se enquadra na situação de fronteira que já destacamos, na qual tudo parece como se a Natureza não estivesse resistindo a um invasor estrangeiro, mas se rebelando contra um soberano legal. Isso, e talvez apenas isso, adequa-se ao fato de que a Natureza, embora não aparentemente inteligente, é inteligível — que acontecimentos nas partes mais remotas do espaço parecem obedecer às leis do pensamento racional. Até o próprio ato da criação não apresenta nenhuma das dificuldades intoleráveis com as quais parecemos nos deparar em todas as outras hipóteses. Existe na própria mente humana algo que se assemelha a esse ato criativo. Podemos imaginar, ou seja, podemos causar a existência de imagens mentais de objetos materiais, e mesmo de personagens humanos, e de acontecimentos. Estamos aquém da criação de duas maneiras. Em primeiro lugar, podemos apenas recombinar elementos emprestados do universo real: ninguém pode imaginar uma nova cor primária ou um sexto sentido. Em segundo lugar, o que imaginamos existe apenas para nossa própria consciência — embora possamos, por palavras, induzir outras pessoas a construir para si mesmas imagens na mente que poderiam ser mais ou menos semelhantes àquilo. Temos de atribuir a Deus o poder de produzir os elementos básicos, de inventar não apenas as cores, mas também a própria cor, os próprios sentidos, o espaço, o tempo e a matéria, além de poder impor o que inventou às mentes criadas. Isso não me parece uma suposição inadmissível. Esse vislumbre é certamente mais fácil do que a ideia de Deus e da Natureza como entidades totalmente não relacionadas, e muito mais fácil do que a ideia da Natureza produzindo pensamento válido.

Não defendo que a criação da natureza por parte de Deus possa ser provada de modo tão rigoroso quanto a existência de Deus, mas isso me parece esmagadoramente provável, tão provável que ninguém que tratasse a questão com a mente aberta cogitaria com seriedade em qualquer outra hipótese. De fato, é raro encontrar pessoas que compreenderam a existência de um Deus sobrenatural e ainda negam que ele seja o Criador. Todas as evidências que temos apontam nessa direção, e dificuldades surgem de todos os lados se tentarmos acreditar no contrário. Nenhuma teoria filosófica com a qual deparei é um aperfeiçoamento radical das palavras de Gênesis: "No princípio criou Deus os céus e a terra".[5] Falo de um aperfeiçoamento "radical", porque a história de Gênesis — como disse Jerônimo[6] há muito tempo — é contada à maneira de "um poeta popular", ou como diríamos hoje, na forma de um conto popular. Mas, se você a comparar com as lendas da criação de outros povos — com todos aqueles deliciosos absurdos sobre gigantes despedaçados e inundações extintas existindo *antes* da criação —, a profundidade e a originalidade desse conto popular hebraico logo se tornarão evidentes. A ideia da *criação*, no sentido rigoroso da palavra, é ali plenamente compreendida.

---

[5]*Gênesis 1:1.
[6]*Jerônimo (347–420), tradutor da Bíblia para o latim, a versão conhecida como Vulgata Latina.

CAPÍTULO 5

Uma dificuldade adicional no Naturalismo

"Mesmo um determinista tão rigoroso quanto Karl Marx, que às vezes descrevia o comportamento social da burguesia em termos que sugeriam um problema na física social, poderia submetê-lo, em outros momentos, a um desdém desmoralizador que só o pressuposto da responsabilidade moral poderia justificar."
R. Niebuhr, Uma interpretação da ética cristã, cap. III[1]

Algumas pessoas consideram o pensamento lógico a mais mortal e a mais árida de nossas atividades, e elas podem, por isso, repeli-lo pela posição privilegiada que lhe dei no último capítulo. Contudo, o pensamento lógico — Raciocínio — teve de ser o ponto central do argumento, porque, de todas as reivindicações que a mente humana propõe, a alegação de que o Raciocínio é válido é a única que o Naturalista não

---

[1]*Karl Paul Reinhold Niebuhr (1892–1971), teólogo protestante e cientista político americano, crítico do liberalismo teológico dos anos 1920. Seu livro *An Interpretation of Christian Ethics* [Uma interpretação da ética cristã] foi publicado em 1935.

pode negar sem (filosoficamente falando) cortar a própria garganta. Você não pode, como vimos, provar que não há provas, mas você pode, se desejar, considerar todos os ideais humanos como ilusões e todos os amores humanos como subprodutos biológicos. Ou seja, você pode fazer isso sem se chocar com autocontradições e absurdos rasos. Se você pode fazê-lo sem extrema implausibilidade — sem ter de aceitar uma imagem de coisas nas quais ninguém realmente acredita — é outra questão.

Além de raciocinar sobre aspectos concretos, os homens também fazem julgamentos morais: "eu devo fazer isto"; "eu não devo fazer isto"; "isto é bom"; "isto é mau". Duas opiniões têm sido sustentadas quanto a julgamentos morais. Algumas pessoas pensam que, quando os emitimos, não estamos usando nossa Razão, mas empregando algum poder diferente; outras pessoas pensam que o fazemos por meio de nossa Razão. Eu, particularmente, tenho esse segundo ponto de vista. Ou seja, acredito que os princípios morais primários dos quais todos os outros dependem são percebidos racionalmente. Nós "tão somente vemos" que não há razão para que a felicidade do próximo seja sacrificada a favor da nossa, pois "tão somente vemos" que coisas que são iguais à mesma coisa são iguais entre si. Se não podemos provar nenhum dos axiomas, não é porque são irracionais, mas porque são evidentes, e todas as provas dependem deles. Sua razoabilidade intrínseca brilha pela própria luz. É pelo fato de toda a moralidade se basear em princípios tão autoevidentes que dizemos a um homem, quando o exortamos a uma conduta correta: "Seja razoável".

Contudo, a propósito, para nosso objetivo atual, não importa qual desses dois entendimentos você adota. O ponto importante é notar que os julgamentos morais suscitam o mesmo tipo de dificuldade para o Naturalismo como para qualquer outro pensamento. Sempre assumimos nas discussões sobre moralidade, como em todas as outras discussões, que as opiniões do outro homem não devem ser levadas em conta se puderem ser totalmente explicadas por alguma causa não moral e não racional. Quando dois homens discordam sobre o bem e o mal, logo ouvimos esse princípio sendo posto em prática. "Ele acredita na santidade da propriedade porque é um milionário"; "Ele acredita no pacifismo porque é um covarde"; "Ele aprova o castigo corporal porque é um sádico". Esses insultos podem, muitas vezes, não ser verdadeiros, mas o mero fato de serem feitos de um lado e calorosamente refutados pelo outro mostra, de modo claro, que o princípio está sendo usado. Nenhum dos lados duvida que, se fossem verdadeiros, os insultos seriam decisivos. Ninguém (na vida real) presta atenção a qualquer julgamento moral que possa resultar de causas não morais e não racionais. O freudiano e o marxista atacam a moralidade tradicional precisamente nesse terreno — e com muito sucesso. Todos os homens aceitam o princípio.

Mas, sem dúvida, o que desacredita os julgamentos morais particulares deve do mesmo modo desacreditar o julgamento moral como um todo. Se pudermos explicar totalmente, por causas irracionais e não morais, o fato de que os homens têm ideias como *deveriam* ou *não deveriam* agir, então, essas ideias são uma ilusão. O Naturalista está pronto para explicar como a ilusão surgiu. As condições químicas produzem vida, que, sob a influência da seleção natural, produz consciência. Organismos conscientes que se comportam de certo modo vivem mais do que aqueles que se comportam de outro. Por viverem mais, é mais provável que tenham descendentes. A herança [genética] e, às vezes, o ensino também transmitem seu modo de comportamento aos jovens. Assim, em cada espécie é construído um padrão de comportamento. Na espécie humana, o ensino consciente desempenha um papel maior em sua construção, e a tribo o fortalece ainda mais por matar indivíduos que não se adaptam. As tribos também inventam deuses que dizem punir quem se afasta delas. Assim, com o tempo, passa a existir um forte impulso humano para a conformidade. No entanto, como esse impulso costuma divergir de outros impulsos, um conflito mental surge, e o homem o expressa dizendo: "Quero fazer A, mas devo fazer B."

Esse relato pode (ou não) explicar por que os homens de fato fazem julgamentos morais. Isso não explica porque eles estão certos ao fazê-los. Ele exclui, é claro, a própria possibilidade de estarem certos, pois, quando os homens dizem "eu devo", eles certamente pensam que estão dizendo algo, e algo verdadeiro, sobre a natureza da ação proposta, e não apenas sobre os próprios sentimentos. Mas, se o Naturalismo é verdadeiro, "eu devo" é o mesmo tipo de afirmação que "eu me coço" ou "eu vou ficar doente". Na vida real, quando um homem diz "eu devo", podemos responder: "Sim. Você está certo. *É* isso que você deve fazer", ou então: "Não. Eu acho que você está enganado". Em um mundo de Naturalistas, no entanto, (se os Naturalistas de fato tivessem em mente sua filosofia fora da escola), a única resposta sensata seria: "Oh, você deve?" Todos os julgamentos morais seriam afirmações sobre os sentimentos do falante, confundidas por ele com afirmações sobre outra coisa (a real qualidade moral das ações) que não existe.

Essa doutrina, eu admiti, não é totalmente autocontraditória. O Naturalista pode, se assim o desejar, enfrentá-la de modo ousado. Ele pode dizer: "Sim. Concordo plenamente

Uma dificuldade adicional no Naturalismo

que não existe algo errado ou certo. Admito que nenhum julgamento moral pode ser 'verdadeiro' ou 'correto' e, em consequência, que nenhum sistema de moralidade pode ser melhor ou pior que outro. Todas as ideias de bem e mal são alucinações — sombras projetadas no mundo exterior pelos impulsos que fomos condicionados a sentir". Com certeza, muitos Naturalistas deleitam-se em dizer isso.

Todavia, então, eles deveriam obedecer a isso; e felizmente (embora de maneira inconsistente) a maioria dos verdadeiros Naturalistas não o faz. Um momento depois de admitirem que bem e mal são ilusões, você os encontrará exortando-nos a trabalhar para a posteridade, a educar, a revolucionar, a matar, a viver e a morrer pelo bem da humanidade. Um Naturalista como o sr. H. G. Wells[2] passou uma longa vida fazendo isso com eloquência e zelo apaixonados; mas isso é mesmo muito estranho? Assim como todos os livros sobre nebulosas em espiral, átomos e homens das cavernas realmente o levaram a supor que os Naturalistas alegavam poder saber alguma coisa, assim também todos os livros nos quais os Naturalistas nos dizem o que devemos fazer realmente nos fazem acreditar que eles achavam que algumas ideias sobre o bem (deles mesmos, por exemplo) eram, de alguma forma, preferíveis a outras. Por esse motivo, eles escrevem com indignação como homens proclamando o que é bom em si mesmo e denunciando o que é mau em si mesmo, e não como homens registrando que pessoalmente gostam de cerveja suave, mas algumas pessoas preferem a amarga. No entanto,

---

[2]*Herbert George Wells (1866–1946), escritor inglês, de inclinações socialistas, pioneiro da ficção científica, misturava imaginação fantástica com especulações a respeito da sociedade. Escreveu *A máquina do tempo*, *A guerra dos mundos* entre mais de uma centena de obras.

Milagres

se os "eu deveria" do sr. Wells e, digamos, de Franco[3] são igualmente os impulsos que a Natureza condicionou cada um a ter, e ambos não nos dizem nada sobre nenhum certo ou errado objetivos, de onde vem toda a veemência? Eles lembram, enquanto escrevem assim, que, quando nos dizem que "devemos fazer um mundo melhor", as palavras "devemos" e "melhor" devem, por si só, referir-se a um impulso irracionalmente condicionado que não pode ser verdadeiro ou falso tanto quanto um vômito ou um bocejo?

Minha ideia é que às vezes eles se esquecem disso. Essa é a glória deles. Ao sustentar uma filosofia que exclui a humanidade, eles ainda permanecem humanos. À vista da injustiça, eles lançam todo o seu Naturalismo ao vento e falam como homens, e como gênios. Eles sabem muito mais do que pensam que sabem. Mas, em outros momentos, suspeito que estejam confiando em uma suposta maneira de escapar das próprias dificuldades.

Funciona — ou *parece* funcionar — assim. Eles dizem para si mesmos: "Ah, sim. Moralidade" — ou: "moralidade burguesa", ou: "moralidade convencional", ou: "moralidade tradicional", ou algum desses acréscimos —, "moralidade *é* uma ilusão. Mas descobrimos que o modo como as pessoas se comportam vai preservar de fato viva a raça humana. Esse é o comportamento que estamos compelindo você a adotar. Torça para que não nos confundam com moralistas. Estamos sob uma administração totalmente nova..." Como se isso fosse de alguma ajuda. Ajudaria apenas se admitíssemos, em primeiro lugar, que a vida é melhor do que a morte e, em segundo lugar,

---

[3]*Francisco Paulino Hermenegildo Teódulo Franco y Barramonde, ou General Franco (também Generalíssimo; 1892–1975), militar espanhol e ditador da Espanha de 1936 a 1973.

Uma dificuldade adicional no Naturalismo

que deveríamos cuidar da vida de nossos descendentes tanto quanto, ou mais do que, da nossa. E ambas posições são julgamentos morais a respeito dos quais, como todos os outros, o Naturalismo deu satisfações. Evidentemente, tendo sido condicionados pela Natureza de certa maneira, é assim que nos sentimos desse modo com relação à vida e à posteridade. Os Naturalistas, no entanto, nos curaram de confundir esses sentimentos com percepções sobre o que chamamos de "valor real". Agora que sei que meu desejo de ser útil à posteridade é exatamente o mesmo apreço que sinto por queijo — agora que suas pretensões transcendentais foram expostas como uma farsa —, você acha que prestarei muita atenção a ele? Quando for forte (e ficou consideravelmente mais fraco desde que você me explicou sua natureza real), suponho que devo obedecer-lhe. Quando ele for fraco, gastarei meu dinheiro com queijo. Não pode haver razão para tentar provocar e incentivar um impulso em vez do outro. Não agora que eu sei o que os dois são. Os Naturalistas não podem destruir toda a minha reverência pela consciência na segunda-feira e esperar encontrar-me ainda venerando-a na terça-feira.

Não há escapatória se seguirmos essa linha de pensamento. Se quisermos continuar a fazer julgamentos morais (e mesmo que digamos o contrário, nós vamos, de fato, continuar), devemos acreditar que a consciência do homem não é um produto da Natureza. Ela só pode ser válida se for uma ramificação de alguma sabedoria moral absoluta, uma sabedoria moral que existe absolutamente "por si mesma" e não é um produto da Natureza não moral e não racional. Como o argumento do capítulo anterior nos levou a reconhecer uma fonte sobrenatural para o pensamento racional, o argumento deste nos leva a reconhecer uma fonte sobrenatural para nossas ideias de bem e mal. Em outras palavras, agora sabemos algo mais sobre Deus. Se você considera que o julgamento moral é algo distinto de Raciocínio, expressará esse novo conhecimento dizendo: "Agora sabemos que Deus tem pelo menos um atributo além da racionalidade". Se, como eu, você considera que o julgamento moral é uma espécie de Raciocínio, então você dirá: "Agora sabemos mais sobre a Razão Divina".

E com isso estamos quase prontos para começar nosso principal argumento; mas, antes de fazê-lo, será bom ter uma pausa para considerar alguns receios ou mal-entendidos que podem ter surgido.

CAPÍTULO 6

Respostas aos receios

"Da mesma maneira, com efeito, que os olhos dos morcegos se comportam para a luz do dia, igualmente o lume da nossa alma [se comporta] para as coisas por natureza mais claras."
Aristóteles, Metafísica, II, 2[1]

Deve-se entender claramente que o argumento até agora não leva a nenhuma concepção de "almas" ou "espíritos" (palavras que evitei) flutuando no reino da Natureza, sem relação com seu meio ambiente. Portanto, não negamos — de fato, devemos acolher — certas considerações que são muitas vezes consideradas como provas do Naturalismo. Podemos admitir, e até mesmo insistir, que se pode demonstrar que o Pensamento Racional é condicionado em seu exercício por um objeto natural (o cérebro). Ele é temporariamente prejudicado pelo álcool ou por um golpe na cabeça. Ele decresce à medida que o cérebro se deteriora e desaparece quando o

---
[1]*Aristóteles, Coleção *Os pensadores*. Trad. Vicenzo Coceo. (São Paulo: Abril Cultural, 1984, p. 39).

cérebro deixa de funcionar. Do mesmo modo, pode-se mostrar que a perspectiva moral de uma comunidade está intimamente ligada à sua história, ao ambiente geográfico, à estrutura econômica, e assim por diante. As ideias morais do indivíduo estão igualmente relacionadas à sua situação geral: não é por acaso que pais e professores costumam dizer que podem suportar qualquer vício, menos a mentira, pois esta é a única arma defensiva da criança. Tudo isso, longe de nos apresentar uma dificuldade, é exatamente o que devemos esperar.

O elemento racional e moral em cada mente humana é um ponto de força do Sobrenatural que está entrando na Natureza, explorando a cada momento aquelas condições que a Natureza oferece, sendo repelida onde as condições são desesperadoras e impedida quando são desfavoráveis. O pensamento Racional de um homem é tanto parte da sua participação na Razão eterna quanto o estado do seu cérebro permite que entre em vigor: representa, por assim dizer, a barganha ocorrida ou a fronteira fixada entre Razão e Natureza naquele ponto em particular. A perspectiva moral de uma nação procede tanto de sua participação na Sabedoria Moral eterna quanto sua história, economia etc., permite. Da mesma forma, a voz do Anunciante é tão semelhante à voz humana quanto o aparelho receptor permite. É claro que varia de acordo com o estado do aparelho receptor, e se deteriora à medida que o aparelho se desgasta, e desaparece completamente se eu jogar um tijolo nele. É condicionado pelo equipamento, mas não é originado por ele. Se fosse — se soubéssemos que não havia ser humano usando o microfone —, não deveríamos prestar atenção às notícias. As várias e complexas condições sob as quais Razão e Moralidade aparecem são as mudanças repentinas e as reviravoltas da fronteira entre Natureza e Sobrenatureza. É por isso que, se desejar, você sempre pode

Respostas aos receios

ignorar a Sobrenatureza e tratar os fenômenos puramente por seu aspecto Natural, assim como um homem que estuda em um mapa os limites da Cornualha e de Devonshire[2] sempre pode dizer: "O que você chama de saliência em Devonshire é, na verdade, um rebaixo na Cornualha". E, em certo sentido, você não pode refutá-lo. O que chamamos de saliência em Devonshire sempre *é* um rebaixo na Cornualha. O que chamamos de pensamento racional em um homem sempre envolve um estado do cérebro, em longo prazo, uma relação de átomos. Contudo, Devonshire é algo além de "onde termina a Cornualha", e a Razão é algo mais que bioquímica cerebral.

Agora, volto-me para outro possível receio. Para algumas pessoas, o grande problema de qualquer argumento para o Sobrenatural é simplesmente o fato de que esse argumento deveria ser necessário. Se existe algo tão estupendo, isso não deveria ser óbvio como o sol no céu? Não é intolerável, e de fato inacreditável, que o conhecimento do mais básico Fato de todos seja acessível apenas por raciocínios extremamente intrincados pelos quais a grande maioria dos homens não tem tempo livre nem capacidade? Tenho grande simpatia por esse ponto de vista, mas devemos notar duas coisas.

Quando você, de um quarto no andar de cima, olha para um jardim, é óbvio (depois de pensar nisso) que está olhando através de uma janela. Mas, se o jardim lhe interessa, você pode olhar para ele por um longo tempo sem pensar na janela. Quando você está lendo um livro, é óbvio (depois de dar-se conta disso) que você está usando os olhos, mas, a menos que seus olhos comecem a doer ou o livro seja sobre óptica, você

---

[2]*A Cornualha é um condado no sudoeste da Inglaterra, com muitos penhascos escarpados e uma costa sulcada. Devon, por vezes chamado de Devonshire, é o único condado que faz limite com a Cornualha.

poderá ler a noite toda sem pensar sobre os olhos. Quando falamos, estamos, é óbvio, usando linguagem e gramática, e, quando tentamos falar uma língua estrangeira, podemos ficar dolorosamente cientes desse fato. Mas, quando falamos nosso idioma materno, não percebemos isso. Quando você grita do alto da escada: "Eu estou descendo em um momento", você geralmente não está consciente de que fez o singular "estou" concordar com o singular "eu". De fato, conta-se uma história sobre um pele-vermelha que, depois de aprender várias outras línguas, foi convidado a escrever uma gramática da língua usada por sua tribo. Ele respondeu, depois de pensar um pouco, que ela não tinha gramática. A gramática que ele usara durante toda a vida escapara a sua percepção durante toda a vida. Ele a conhecia (em um sentido) tão bem que (em outro sentido) não sabia que ela existia.

Todos esses exemplos mostram que o fato, de certa forma, o mais óbvio e primário, e mediante o qual você tem acesso a todos os outros fatos, pode ser precisamente aquele que é mais facilmente esquecido — esquecido, não por ser tão remoto ou abstruso, mas porque é tão próximo e tão óbvio. E é exatamente assim que o *Sobre*natural foi esquecido. Os Naturalistas têm-se empenhado em pensar sobre a Natureza. Eles não atentaram para o fato de que estavam *pensando*. No momento em que se atenta para isso, é óbvio que o próprio pensamento não pode ser meramente um acontecimento natural e, portanto, algo além da Natureza existe. O Sobrenatural não é remoto e abstruso: é uma questão de experiência diária e de instante após instante, tão íntima quanto a respiração. Negar isso depende de certa desatenção, mas essa desatenção não é de forma alguma surpreendente.

Você não precisa — na verdade, não deseja — estar sempre pensando em janelas ao olhar para jardins, ou sempre pensando nos olhos ao ler. Da mesma forma, o procedimento adequado com respeito a todas as indagações limitadas e particulares é ignorar o fato dos próprios pensamentos e concentrar-se no objeto. Somente quando você se afasta de indagações específicas e tenta formar uma filosofia completa é que deve levá-los em consideração. Para uma filosofia completa, *todos* os fatos devem ser considerados. Nela, você se afasta do pensamento especializado ou truncado em direção ao pensamento total, e um dos fatos sobre o qual o pensamento total deve pensar é o próprio Pensamento.

Existe, portanto, uma tendência no estudo da Natureza de nos fazer esquecer o fato mais óbvio de todos. E, desde o século 16, quando a Ciência nasceu, a mente dos homens voltou-se cada vez mais para o exterior, para conhecer a Natureza e dominá-la. Eles têm-se engajado cada vez mais nessas investigações especializadas para as quais o pensamento truncado é o método correto. Portanto, não é de forma alguma surpreendente que eles tenham esquecido a evidência do Sobrenatural. O hábito profundamente arraigado do pensamento truncado — o que chamamos de hábito "científico" da mente — certamente levaria ao Naturalismo, a menos que essa tendência fosse, de modo contínuo, corrigida a partir de alguma outra fonte. Contudo, não havia outra fonte disponível, pois, durante o mesmo período, os homens da ciência passaram a ser metafisicamente e teologicamente incultos.

Isso me leva à segunda consideração. O estado de coisas em que as pessoas comuns podem descobrir o Sobrenatural apenas por raciocínio abstruso é recente e, segundo os padrões históricos, anormal. Em todo o mundo, até os tempos modernos, a percepção direta dos místicos e os raciocínios dos filósofos permeavam a massa do povo mediante autoridade e tradição. Eles podiam ser recebidos por aqueles que não tinham grande habilidade de raciocínio sobre a forma concreta de mito e ritual e de todo o padrão de vida. Sob as condições produzidas por mais ou menos um século de Naturalismo, homens comuns estão sendo forçados a suportar cargas que nunca antes se esperou que homens comuns suportassem. Devemos obter a verdade por nós mesmos ou ficar sem ela.

Pode haver duas explicações para isso. Pode ser que a humanidade, ao se rebelar contra a tradição e a autoridade, tenha cometido um erro horrível; um erro que só não será menos fatal porque as corrupções daqueles que estão em posição de autoridade o tornaram muito desculpável. Por outro lado, pode ser que o Poder que governa nossa espécie esteja, neste momento, realizando um ousado experimento. Pode haver a intenção de que toda a massa de pessoas agora avance e ocupe para si as alturas que antes eram reservadas apenas aos sábios? A distinção entre o sábio e o simples deve desaparecer porque agora se espera que todos se tornem sábios? Nesse caso, nossos erros estúpidos atuais seriam apenas dores crescentes. Mas não nos enganemos a respeito de nossas necessidades. Se estivermos satisfeitos em voltar e nos tornarmos humildes homens comuns que obedecem a uma tradição, muito bem. Se estivermos prontos para elevar-nos e lutar até nos tornarmos sábios, melhor ainda; mas será fatal para o homem não obedecer à sabedoria dos outros nem se aventurar para tê-la. Uma sociedade em que muitos simples obedecem aos poucos que veem pode viver; uma sociedade em que são todos os que veem pode viver ainda mais plenamente. Todavia, uma sociedade em que a massa ainda é de pessoas simples e os que veem não desempenham mais sua tarefa, tal sociedade pode alcançar apenas superficialidade, baixeza, feiura e, no final, extinção. Para frente ou para trás é que devemos ir; ficar aqui é morte certa.

Outro ponto que pode ter levantado dúvidas ou dificuldades deve ser tratado aqui. Tenho boas razões para acreditar que um elemento sobrenatural está presente em todo homem racional. A presença da racionalidade humana no mundo é, portanto, um Milagre pela definição dada no segundo capítulo. Ao perceber isso, o leitor pode, justificadamente, dizer: "Oh, se *isso* é tudo o que ele quer dizer com Milagre...", e jogar o livro fora. Contudo, peço que tenha paciência. A Razão e a Moralidade humanas foram mencionadas não como exemplos de Milagre (pelo menos, não do tipo de Milagre a respeito do qual você queria ouvir), mas sim como provas do Sobrenatural; não para mostrar que a Natureza já foi invadida, mas sim que existe um possível invasor. Se você optar por chamar a invasão regular e familiar por meio da Razão humana de Milagre ou não, isso é, em grande medida, uma questão de escolha de palavras. A regularidade da invasão — o fato de entrar regularmente pela mesma porta: o intercurso sexual humano — pode inclinar você a não chamá-la de Milagre. Parece que foi (por assim dizer) da própria natureza da Natureza experimentar *essa* invasão. Porém, poderíamos descobrir mais tarde que era da natureza da Natureza experimentar milagres em geral. Felizmente, o desenrolar de nosso argumento nos permitirá deixar de lado essa questão de terminologia. Nosso interesse estará nas outras invasões da Natureza — aquelas a que todos chamariam de Milagres. Nossa pergunta poderia, se você preferir, ser colocada desta forma: "A Sobrenatureza produz resultados particulares no espaço e no tempo *a não ser* por meio da instrumentalidade do cérebro humano agindo nos nervos e músculos humanos?"

Eu disse "*resultados* particulares" porque, a nosso ver, a Natureza como um todo é por si mesma um enorme resultado do Sobrenatural: Deus a criou. Ele a permeia onde quer que

Milagres

haja uma mente humana. Deus presumivelmente a mantém existindo. A questão é se Deus, em algum momento, fez outra coisa com ela. Acaso ele, além de tudo isso, traz a ela acontecimentos com respeito aos quais não seria verdade dizer: "Isto é simplesmente o desenvolvimento do caráter geral que ele deu à Natureza como um todo ao criá-la"? Acontecimentos assim são chamados popularmente de Milagres, e será nesse sentido apenas que a palavra Milagre será usada no restante do livro.

CAPÍTULO 7

Um capítulo sobre pistas falsas

"Saiu-lhes ao encontro um gigante chamado Apoquentador, que costumava iludir jovens peregrinos com sofismas."
John Bunyan, A peregrina[1]

Admitir que Deus existe e é o autor da Natureza de maneira alguma implica que milagres devam, ou mesmo podem, ocorrer. O próprio Deus poderia ser do tipo cujo caráter fosse contrário a operar milagres, ou ainda, ele poderia ter feito da Natureza o tipo de coisa a que nada pode ser adicionado ou subtraído, ou que não pudesse ser modificada. O argumento contra os Milagres, portanto, baseia-se em dois motivos diferentes: ou se pensa que o caráter de Deus os exclui, ou que o caráter da Natureza os exclui. Começaremos com o segundo pensamento, que é o terreno mais popular. Neste

---

[1]*John Bunyan (1628–1688), funileiro, pregador puritano não conformista e escritor inglês. *A peregrina*, lançada em 1684, é a continuação do clássico *O peregrino*, escrito na prisão e lançado seis anos antes. A citação é da tradução de Eduardo Pereira e Ferreira (São Paulo: Mundo Cristão, 1999, p. 106).

capítulo, examinarei formas dele, as quais, em minha opinião, são muito superficiais — e que podem até ser chamadas de mal-entendidos ou de pistas falsas.

A primeira pista falsa é esta. Qualquer dia você pode ouvir um homem (e não necessariamente um descrente em Deus) dizer sobre algum suposto milagre: "Não. Claro que não acredito nisto. Sabemos que isso é contrário às leis da Natureza. As pessoas podiam acreditar nisso antigamente porque não conheciam as leis da Natureza. Agora nós sabemos que isso é uma impossibilidade científica".

Ao falar de "leis da natureza", esse homem se refere, penso eu, ao curso observado da Natureza. Se quer dizer algo mais do que isso, ele não é o homem comum que estou considerando, mas um Naturalista filosófico, e tratarei dele no próximo capítulo. O homem que tenho em vista acredita que a mera experiência (e especialmente aquelas experiências artificialmente elaboradas a que chamamos de Experimentos) pode-nos dizer o que acontece regularmente na Natureza. E ele acha que o que tem sido descoberto exclui a possibilidade de Milagre. Isso é uma confusão na mente.

Considerando-se que milagres *podem* ocorrer, é claro que cabe à experiência dizer que alguém realizou um milagre em uma determinada ocasião. Entretanto, a mera experiência, mesmo que prolongada por um milhão de anos, não nos pode dizer se a coisa é possível. O experimento descobre o que acontece regularmente na Natureza: a norma ou regra pela qual ela trabalha. Quem acredita em milagres não nega que exista tal norma ou regra; está apenas dizendo que ela pode ser suspensa. Um milagre é, por definição, uma exceção. Como a descoberta da regra pode dizer se, mediante uma causa suficiente, a regra pode ser suspensa? Se disséssemos que a regra era A, a experiência poderia refutar-nos descobrindo

Um capítulo sobre pistas falsas

que era B. Se dissermos que não havia regra, a experiência poderia refutar-nos observando que há, sim. Contudo, não estamos dizendo nenhuma dessas coisas. Concordamos que existe uma regra, e que a regra é B. O que isso tem a ver com a questão de saber se a regra pode ser suspensa? Você responde: "A experiência, no entanto, mostra que isto nunca aconteceu". Respondemos: "Mesmo assim, isso não provaria que ela nunca pode ser suspensa. A experiência mostra que isto nunca aconteceu? O mundo está cheio de histórias de pessoas que dizem ter experimentado milagres. Talvez as histórias sejam falsas; talvez sejam verdadeiras. Mas, antes que você possa decidir sobre essa questão histórica, você deve inicialmente (como foi indicado no primeiro capítulo) descobrir se a coisa é possível e, em caso positivo, qual a probabilidade dela".

A ideia de que o progresso da ciência de alguma forma alterou essa questão está ligada de modo estreito à noção de que as pessoas "antigamente" acreditavam nela "porque não conheciam as leis da Natureza". Assim, você ouvirá as pessoas dizerem: "Os primeiros cristãos acreditavam que Cristo era o filho de uma virgem, mas sabemos que isso é uma impossibilidade científica". Essas pessoas parecem ter a ideia de que a crença em milagres surgiu em um período em que os homens eram tão ignorantes a respeito do curso da natureza, que não percebiam que um milagre era contrário a ele. Um momento de reflexão mostra que isso não faz sentido, e a história do Nascimento Virginal é um exemplo particularmente impressionante.

Quando José descobriu que sua noiva ia ter um bebê, ele não decidiu repudiá-la por uma razão contrária à natureza. Por quê? Porque ele sabia tão bem quanto qualquer ginecologista moderno que, no curso normal da natureza, as mulheres não têm bebês a menos que se deitem com um homem.

Milagres

Sem dúvida, o ginecologista moderno sabe muitas coisas sobre nascimento e geração que José não sabia. Contudo, essas coisas não dizem respeito ao ponto principal: um nascimento virginal é contrário ao curso da natureza. E São José obviamente sabia *disso*. Em qualquer sentido em que seja verdade dizer hoje: "A coisa é cientificamente impossível", ele teria dito o mesmo: a coisa sempre foi impossível, e sempre foi conhecida como tal, *a menos* que os processos regulares da natureza fossem, nesse caso particular, superados ou suplementados por algo além da natureza. Quando José, por fim, aceitou o fato de que a gravidez da noiva não se devia à falta de castidade, mas sim a um milagre, ele aceitou o milagre como algo contrário à ordem conhecida da natureza.[2]

Todos os registros de milagres ensinam a mesma coisa. Nessas histórias, os milagres despertam medo e maravilhamento (é o que a própria palavra *milagre* implica) entre os espectadores, e são tidos como evidência de poder sobrenatural. Se não fosse sabido que eles eram contrários às leis da natureza, como poderiam sugerir a presença do sobrenatural? Como eles poderiam ser surpreendentes se não fossem vistos como exceções às regras? E como algo pode ser visto como uma exceção se as regras não são conhecidas? Se alguma vez houve homens que não conheciam *de modo algum* as leis da natureza, eles não teriam ideia de um milagre nem sentiriam nenhum interesse particular em um se fosse realizado diante deles. Nada pode parecer extraordinário enquanto não se descobrir o que é comum. A crença em milagres, longe de depender da ignorância das leis da natureza, só é possível na medida em que essas leis sejam conhecidas. Já vimos que, se começarmos por excluir o sobrenatural, não perceberemos os

---
[2]*Mateus 1:18-25.

Um capítulo sobre pistas falsas

milagres. Devemos, agora, acrescentar que os milagres tampouco serão percebidos enquanto não se acreditar que a natureza funciona de acordo com as leis regulares. Se você ainda não percebeu que o Sol sempre nasce no Leste, não verá nada milagroso se ele, certa manhã, nascer no Oeste.

Se os milagres nos fossem apresentados como acontecimentos que ocorrem normalmente, então, o progresso da ciência, cujo objetivo é dizer-nos o que ocorre normalmente, tornaria a crença neles cada vez mais difícil até que ela passasse a ser, por fim, impossível. O progresso da ciência tem, dessa maneira (e muito para nosso benefício), feito de todo tipo de coisa em que nossos ancestrais acreditavam algo inacreditável: formigas e grifos devoradores de homens na Cítia, homens com um único pé gigantesco, ilhas magnéticas que atraíam todos os navios em sua direção, sereias e dragões cuspidores de fogo. Essas coisas, no entanto, nunca foram apresentadas como interrupções sobrenaturais do curso da natureza; elas foram apresentadas como itens dentro de seu curso normal — de fato, como "ciência". Uma ciência posterior e melhor, portanto, removeu-as corretamente. Os milagres estão em uma posição totalmente diferente.

Se dragões cuspidores de fogo existissem, aqueles que buscam caça de grande porte os encontrariam, mas ninguém jamais fingiu que o Nascimento Virginal ou a caminhada de Cristo sobre a água poderiam ser considerados coisas recorrentes. Quando uma coisa professa desde o início ser uma invasão única da Natureza por algo vindo de fora, o aumento do conhecimento sobre a Natureza nunca poderá torná-la mais ou menos crível do que era no início. Nesse sentido, é mera confusão de pensamento supor que o avanço da ciência aumentou nossa dificuldade para aceitar os milagres. Sempre soubemos que eles eram contrários ao curso natural dos acontecimentos; sabemos ainda que, se há algo além da Natureza, eles são possíveis.

Esse é o âmago da questão; tempo e progresso, ciência e civilização, isso não alterou nem um pouco os milagres. Os motivos para crença e descrença são hoje os mesmos de dois mil — ou dez mil — anos atrás. Se José não tivesse tido fé para confiar em Deus ou humildade para perceber a santidade da esposa, ele poderia ter desacreditado da origem milagrosa do Filho dela tão facilmente quanto qualquer homem moderno; e qualquer homem moderno que creia em Deus pode aceitar o milagre tão facilmente quanto José o fez. Você e eu podemos não concordar, mesmo ao final deste livro, se milagres acontecem ou não, mas, pelo menos, não falemos coisas sem nexo. Não permitamos que a retórica vaga sobre a marcha da ciência nos engane, supondo que a explicação mais complicada sobre o nascimento, em termos de genes e espermatozoides, nos deixa mais convencidos do que estávamos antes, pensando que a *natureza* não envia bebês para mulheres jovens que "não conhecem homem".

A segunda pista falsa é esta. Muitas pessoas dizem: "Eles podiam acreditar em milagres antigamente porque tinham uma falsa concepção do universo. Eles achavam que a Terra era a maior coisa do universo e o Homem, a criatura mais importante. Portanto, parecia razoável supor que o Criador estivesse interessado de modo especial no Homem e que poderia até mesmo interromper o curso da Natureza em seu benefício. No entanto, agora que sabemos a imensidão real do universo — agora que percebemos que nosso próprio planeta e todo o Sistema Solar são apenas uma partícula —, torna-se ridículo continuar acreditando nisso. Descobrimos nosso significado e não podemos mais supor que Deus esteja tão radicalmente preocupado com nossos assuntos insignificantes."

Um capítulo sobre pistas falsas

Qualquer que seja seu valor como argumento, pode-se afirmar de pronto que esse ponto de vista está completamente errado sobre os fatos. A imensidão do universo não é uma descoberta recente. Mais de 1700 anos atrás, Ptolomeu[3] ensinou que, em relação à distância das estrelas fixas, a Terra inteira devia ser considerada apenas como um ponto sem magnitude. Seu sistema astronômico foi universalmente aceito no início da Idade Média e durante o seu transcurso. A insignificância da Terra era tão comum para Boécio, rei Alfredo, Dante e Chaucer[4] quanto para o sr. H. G. Wells ou o professor Haldane. Declarações contrárias nos livros modernos são devidas à ignorância.

A verdadeira questão difere muitíssimo do que geralmente supomos. A verdadeira questão é: por que a insignificância espacial da Terra, depois de ter sido afirmada por filósofos cristãos, cantada por poetas cristãos e comentada por moralistas cristãos por cerca de quinze séculos, sem a menor suspeita de que isso conflitasse com a teologia deles, pôde repentinamente, nos tempos modernos, ter sido adaptada como um argumento comum contra o cristianismo e ter desfrutado, nessa condição, de uma brilhante carreira? Vou dar um palpite quanto à resposta a essa presente pergunta. Por enquanto, vamos considerar a força desse argumento comum.

Quando o médico, em uma necropsia, examina os órgãos do morto e diagnostica o veneno, ele tem uma ideia clara do estado em que os órgãos estariam se o homem tivesse

---

[3]*Cláudio Ptolomeu (90–168), cientista, astrônomo e geógrafo grego.
[4]*Anício Mânlio Torquato Severino Boécio (480–c. 525), filósofo e estadista romano. Alfredo, o Grande (849–899), rei inglês que defendeu o país contra os vikings. Dante Alighieri (1265–1321), maior poeta italiano. Geoffrey Chaucer (c. 1343–1400), escritor, filósofo e diplomata inglês.

Milagres

falecido de causas naturais. Se, a partir da vastidão do universo e da pequenez da Terra, diagnosticamos que o cristianismo é falso, deveríamos ter uma ideia clara do tipo de universo pelo qual esperamos, se fosse verdadeiro. Todavia, nós temos? Não importa o que for o espaço, é certo que nossas percepções o fazem parecer tridimensional; e, para um espaço tridimensional, nenhum limite é concebível. Graças às próprias formas de nossas percepções, sentimos como se vivêssemos em algum lugar no espaço infinito; e, qualquer que seja o tamanho da Terra, é claro que ela deve ser muito pequena em comparação com o infinito.

E esse espaço infinito deve estar vazio ou conter corpos. Se estivesse vazio, se contivesse nada além de nosso Sol, esse vasto vazio certamente seria usado como argumento contra a própria existência de Deus. Por que, se poderia perguntar, ele deveria criar uma partícula e deixar o resto do espaço para a não existência? Se, por outro lado, encontrarmos (como de fato encontramos) inúmeros corpos flutuando no espaço, eles devem ser habitáveis ou inabitáveis. O estranho é que *ambas* as alternativas são igualmente usadas como objeções ao cristianismo. Se o universo está repleto de vida diferente da nossa, isso, dizem-nos, torna ridículo acreditar que Deus estaria tão preocupado com a humanidade a ponto de "descer do céu" e se tornar homem para a redenção dela. Se, por outro lado, nosso planeta é de fato o único que abriga a vida orgânica, acredita-se que isso prove que a vida é apenas um subproduto acidental do universo e, uma vez mais, refuta-se nossa religião.

Tratamos Deus como o policial nas histórias trata o suspeito: tudo o que ele disser "pode e será usado contra ele no tribunal". Esse tipo de objeção à fé cristã não é realmente baseado na natureza observada do universo real. Pode-se agir assim sem esperarmos descobrir como o universo é, pois ele se encaixará em qualquer tipo de universo que escolhermos imaginar. O médico, nesse caso, pode diagnosticar o veneno sem examinar o cadáver, pois tem uma teoria sobre o veneno que ele manterá *não importando* qual seja o estado dos órgãos.

A razão pela qual não podemos nem sequer imaginar um universo assim elaborado que exclua essas objeções apresenta, talvez, a formulação seguinte. O homem é uma criatura finita que tem percepção suficiente para entender sua finitude; portanto, em qualquer ponto de vista concebível, ele se vê apequenado pela realidade como um todo. Ele também é um ser derivado: a causa de sua existência não reside em si mesmo, mas (imediatamente) em seus pais e além disso (em última instância) *ou* no caráter da Natureza como um todo *ou* (se existe um Deus) em Deus. Contudo, tem de haver algo, seja Deus, seja a totalidade da Natureza, que existe por si só ou que prossiga "por vontade própria"; não como o produto de causas além de si mesmo, mas simplesmente porque existe. Diante desse algo, não importa qual seja, o homem deve sentir que sua existência derivada é sem importância, irrelevante, quase acidental. Não se trata de pessoas religiosas imaginando que tudo existe para o homem e pessoas científicas descobrindo que nada existe para ele. Se o ser supremo e inexplicável — aquele que simplesmente *é* — vem a ser Deus ou "o espetáculo todo", é claro que ele não existe para nós. De qualquer maneira, somos confrontados com algo que existia antes de a humanidade aparecer e que existirá depois que a Terra se tornar inabitável; que é totalmente independente de nós, embora sejamos totalmente dependentes dele; e que, por causa das vastas extensões de seu ser, não tem relevância para nossos próprios medos e esperanças; pois nenhum homem, eu suponho, foi tão louco a ponto de pensar que o homem, ou toda a criação, *enchia* a Mente Divina: se somos uma coisa pequena em relação ao espaço e ao tempo, estes são uma coisa muito menor para Deus.

É um erro profundo imaginar que o cristianismo sempre pretendeu dissipar o assombro e mesmo o terror, a sensação de nosso próprio ser-nada, que surge quando pensamos na natureza das coisas. O cristianismo os intensificou. Sem essas sensações, não há religião. Pode ser que muitos homens, criados na profissão simplista de alguma forma superficial do cristianismo, que, ao lerem sobre astronomia, percebem pela primeira vez como a realidade é majestosamente indiferente ao homem, e que talvez abandonem sua religião por esse motivo, naquele momento, estejam tendo sua primeira experiência genuinamente religiosa.

O cristianismo não envolve a crença de que todas as coisas foram feitas para o homem; envolve a crença de que Deus ama o homem e por este se fez humano e morreu. Ainda não consegui ver como o que sabemos (e sabemos desde os dias de Ptolomeu) sobre o tamanho do universo afeta a credibilidade dessa doutrina de alguma maneira.

O cético pergunta como podemos acreditar que Deus "desceu" a este minúsculo planeta. A pergunta seria embaraçosa se soubéssemos (1) que existem criaturas racionais em qualquer um dos outros corpos que flutuam no espaço; (2) que elas, como nós, caíram e precisam de redenção; (3) que a redenção delas deve ser realizada do mesmo modo que a nossa; (4) que a redenção desse modo foi negada a elas. Contudo, não conhecemos nenhuma delas. O universo pode estar cheio de vidas felizes que nunca precisaram de redenção; pode estar cheio de vidas que foram redimidas de maneira adequada à sua condição, a qual não podemos sequer imaginar; pode

Um capítulo sobre pistas falsas

estar cheio de vidas que foram redimidas da mesma maneira que a nossa; pode estar cheio de outras coisas além da vida em que Deus está interessado, embora não interessem a nós.

Se for defendido que algo tão pequeno quanto a Terra deve, de qualquer modo, ser desimportante demais para merecer o amor do Criador, respondemos que nenhum cristão jamais supôs que o merecêssemos. Cristo não morreu pelos homens porque eles eram intrinsecamente dignos de que morresse por eles, mas porque ele é intrinsecamente amor e, portanto, ama infinitamente. E o que, afinal de contas, o *tamanho* de um mundo ou de uma criatura nos diz sobre sua "importância" ou valor?

Não há dúvida de que todos *sentimos* a incongruência de supor, digamos, que o planeta Terra seja mais importante que a Grande Nebulosa em Andrômeda. Por outro lado, estamos todos igualmente certos de que apenas um lunático pensaria que um homem de 1,80 metro de altura é necessariamente mais importante que um homem de 1,5 metro de altura, ou um cavalo é necessariamente mais importante que um homem, ou que as pernas de um homem são mais importantes que seu cérebro. Em outras palavras, essa suposta proporcionalidade entre tamanho e importância parece plausível apenas quando um dos tamanhos envolvidos é muito grande. E isso trai a verdadeira base desse tipo de pensamento. Quando uma relação é percebida pela Razão, ela é percebida como válida universalmente. Se nossa Razão nos dissesse que o tamanho é proporcional à importância, então, pequenas diferenças de tamanho seriam acompanhadas de pequenas diferenças de importância tão certamente quanto grandes diferenças de tamanho seriam acompanhadas de grandes diferenças de importância. Tal homem de 1,80 metro teria de ser um pouco mais valioso que o homem de 1,5 metro, e sua perna um pouco mais importante

Milagres

que seu cérebro — o que todo mundo sabe que não faz sentido. A conclusão é inevitável: a importância que atribuímos às grandes diferenças de tamanho não está relacionada à razão, mas à emoção — àquela emoção peculiar que superioridades em tamanho começam a produzir em nós somente depois que certo ponto de tamanho absoluto é alcançado.

Somos poetas inveterados. Diante de um excesso de quantidade, deixamos de considerá-la mera quantidade. Nossa imaginação é despertada. Em vez de mera quantidade, agora temos uma qualidade: o Sublime. Mas, para isso, a grandeza meramente aritmética da Galáxia não seria mais impressionante do que as cifras em um livro contábil. Para uma mente que não compartilha nossas emoções e que não possui nossas energias imaginativas, o argumento contra o cristianismo com base no tamanho do universo seria simplesmente ininteligível. É, portanto, de nós mesmos que o universo material deriva seu poder de nos dominar. Homens de sensibilidade olham para o céu noturno com admiração; homens brutais e estúpidos, não. Quando o silêncio dos espaços eternos aterrorizou Pascal,[5] foi a própria grandeza de Pascal que lhe permitiu fazer isso: ser aterrorizado pela grandeza das nebulosas é, quase literalmente, ser aterrorizado por nossa própria sombra; pois anos-luz e períodos geológicos são mera aritmética até que a sombra do homem, o poeta, o criador de mitos, caia sobre eles. Como cristão, não digo que estamos errados ao tremer diante dessa sombra, pois creio que seja a sombra de uma imagem de Deus. Contudo, se a vastidão da Natureza ameaça abarrotar nosso espírito, devemos lembrar

---

[5]Blaise Pascal (1623–1662), físico, matemático, filósofo e teólogo francês.

que é apenas a Natureza espiritualizada pela imaginação humana que o faz.

Isso sugere uma possível resposta à questão levantada algumas páginas atrás: por que o tamanho do universo, conhecido há séculos, deveria, pela primeira vez, nos tempos modernos se tornar um argumento contra o cristianismo? Teria isso ocorrido porque, nos tempos modernos, a imaginação se tornou mais sensível à grandeza? Desse ponto de vista, o argumento do tamanho pode quase ser considerado um subproduto do Movimento Romântico na poesia. Além do aumento absoluto da vitalidade imaginativa sobre esse tópico, certamente houve um declínio em outros. Qualquer leitor de poesia antiga pode ver que o resplendor atraiu o homem antigo e medieval mais do que a grandeza, e mais do que a nós. Os pensadores medievais acreditavam que as estrelas deviam ser de alguma forma superiores à Terra, porque pareciam brilhantes, e a Terra, não. Os modernos pensam que, por ser de tamanho maior, a Galáxia deveria ser mais importante que a Terra. Ambos os estados de espírito podem produzir boa poesia. Ambos podem fornecer imagens mentais que despertam emoções muito respeitáveis: emoções de reverência, humildade ou alegria. Mas, segundo argumentos filosóficos sérios, ambos são ridículos. O argumento ateu derivado do tamanho é, de fato, um exemplo desse pensamento pictórico com o qual, como veremos em um capítulo posterior, o cristão *não* está comprometido. É o modo particular em que o pensamento pictórico aparece no século 20: pois o que chamamos com carinho de erros "primitivos" não desaparece. Eles simplesmente mudam de forma.

CAPÍTULO 8

Milagres e as leis da Natureza

"É uma coisa muito estranha
— Tão estranha quanto possa ser —
Que qualquer coisa que a srta. T. coma
Se transforma em srta. T."

W. de la Mare[1]

Tendo esclarecido as objeções que são baseadas em uma noção popular e confusa de que o "progresso da ciência" de alguma forma tornou o mundo seguro contra o Milagre, devemos agora considerar o assunto em um nível um pouco mais profundo. A questão é: pode-se saber se a Natureza é algo que impossibilita as interferências sobrenaturais? Ela já é conhecida por ser, de modo geral, regular: ela se comporta de acordo com leis fixas, muitas das quais já foram descobertas, e que se conectam umas às outras. Não há, nesta discussão, questão alguma de mero fracasso ou de imprecisão

---

[1]*Walter de la Mare (1873–1956), poeta e escritor inglês. A citação são os versos iniciais do poema "Miss T.", do livro *Peacock Pie: A Book of Rhymes* [Torta de pavão: um livro de rimas], publicado em 1913.

em manter essas leis por parte da Natureza, nem questão de variação incerta ou espontânea[2]. A única questão é se, aceitando a existência de um Poder externo à Natureza, existe algum absurdo intrínseco na ideia de sua intervenção produzir dentro da Natureza acontecimentos que o "andamento" regular de todo o sistema natural nunca teria produzido.

Três concepções das "Leis" da Natureza costumam ser apresentadas. (1) Essas leis são meros fatos brutos, conhecidos apenas pela observação, sem harmonia ou razão que possa ser descoberta sobre elas. Sabemos *que* a Natureza se comporta "assim e assado"; não sabemos por que ela o faz nem conseguimos ver nenhuma razão para que ela não deva fazer o oposto. (2) Elas são aplicações da lei das médias. Os fundamentos da Natureza são aleatórios e sem lei, mas o número de unidades com as quais estamos lidando é tão grande que o comportamento dessas multidões (como o comportamento de grandes massas de homens) pode ser calculado com acurácia prática. O que chamamos de "acontecimentos impossíveis" são acontecimentos tão esmagadoramente improváveis, pelos padrões atuariais, que não precisamos levá-los em consideração. (3) As leis fundamentais da física são o que de fato chamamos de "verdades necessárias" como as verdades da matemática — em outras palavras, que, se entendermos claramente o que estamos dizendo, veremos que o contrário seria um absurdo sem sentido. Portanto, é uma "lei" que diz que, quando uma bola de bilhar empurra outra, a quantidade de dinamismo perdido pela primeira bola deve ser exatamente igual à quantidade obtida pela segunda. As pessoas que

---

[2] Se qualquer região da realidade é de fato incerta ou sem lei, é uma região que, longe de admitir o Milagre com especial facilidade, torna a palavra "Milagre" sem sentido na região toda.

defendem que as leis da Natureza são verdades necessárias diriam que tudo o que fizemos foi dividir os acontecimentos únicos em duas partes iguais (aventuras da bola A e aventuras da bola B) e depois descobrimos que "os dois lados da conta estão em equilíbrio". Quando entendemos isso, vemos que é claro que eles *devem-se* equilibrar. As leis fundamentais são, em longo prazo, apenas declarações de que todo acontecimento é ele mesmo, e não um acontecimento diferente.

Ficará de imediato evidente que a primeira dessas três teorias não dá garantia contra os Milagres — na verdade, nenhuma garantia de que, mesmo à parte dos Milagres, as "leis" que até agora observamos serão obedecidas amanhã. Se não temos noção do motivo de algo acontecer, é claro que não sabemos por que não deveria ser de outra maneira e, portanto, não temos certeza de que, algum dia, não seja desse modo.

A segunda teoria, que depende da lei das médias, está na mesma posição. A garantia que ela nos dá é do mesmo tipo geral da garantia que temos de que uma moeda jogada para cima mil vezes não dará o mesmo resultado ao cair, digamos, novecentas vezes, e que, quanto mais vezes você a lançar, tanto mais o número de Caras e Coroas será semelhante. Todavia, isso ocorrerá tão somente se a moeda for uma moeda honesta. Se for uma moeda adulterada, nossas expectativas poderão ser desapontadas. Contudo, as pessoas que acreditam em milagres estão afirmando precisamente que a moeda *é* adulterada. As expectativas baseadas na lei das médias funcionarão apenas em uma Natureza *inalterada*. E a questão da possibilidade de ocorrência de milagres é apenas a questão de saber se a Natureza já foi alterada.

O terceiro ponto de vista (de que as leis da Natureza são verdades necessárias) parece, à primeira vista, apresentar um obstáculo intransponível ao milagre. A quebra delas seria,

Milagres e as leis da Natureza

nesse caso, uma autocontradição, e nem a Onipotência pode fazer o que é autocontraditório. Portanto, as Leis não podem ser quebradas e, assim, teremos de concluir que nenhum milagre pode ocorrer?

Estamos andando rápido demais. É certo que as bolas de bilhar se comportarão de uma maneira particular, assim como é certo que, se você dividir uma quantidade de moedas desigualmente entre dois destinatários, a parte que estará em A excederá a metade e a parte que estará em B ficará aquém exatamente na mesma quantidade. Desde que, é claro, A não roube, por meio de um truque enganoso, algumas moedas de um centavo de B no exato momento da divisão. Da mesma forma, você sabe o que acontecerá com as duas bolas de bilhar, desde que não haja interferência. Se uma bola encontrar uma rugosidade no tecido, e a outra não, o movimento delas não demonstrará a lei da maneira que era esperado. É claro que o que acontece como resultado da rugosidade do tecido demonstrará a lei de alguma outra maneira, mas sua previsão original será falsa. Ou então, se eu pegar um taco e der um empurrãozinho em uma das bolas, haverá um terceiro resultado, e este igualmente demonstrará as leis da física, e igualmente falsificará a previsão inicial. Eu terei "estragado o experimento".

Todas as interferências deixam a lei perfeitamente verdadeira, mas toda previsão do que acontecerá em um dado exemplo é feita sob a condição de "outras coisas serem iguais" ou da condição de "não haver interferência". Se outras coisas *são iguais* em determinado caso e se interferências podem ocorrer, isso é outra questão. O aritmético, como tal, não sabe qual é a probabilidade de A roubar alguns centavos de B quando o dinheiro está sendo dividido: é melhor você perguntar a um criminologista. O físico, como tal, não sabe qual

Milagres

é a probabilidade de eu pegar um taco e "estragar" o experimento dele com as bolas de bilhar: é melhor você perguntar a alguém que *me* conhece. Do mesmo modo, o físico, como tal, não sabe qual é a probabilidade de algum poder sobrenatural interferir nas bolas de bilhar: é melhor perguntar a um metafísico. Contudo, o físico sabe, apenas por ser físico, que, se alguma agência, natural ou sobrenatural, que ele não levou em consideração, mexer indevidamente nas bolas de bilhar, então, o comportamento delas vai diferir daquilo que ele esperava. Não porque a lei é falsa, mas porque é verdadeira. Quanto mais certos estamos da lei, tanto mais claramente sabemos que, se novos fatores forem introduzidos, o resultado variará de acordo com isso. O que não sabemos, como físicos, é se o poder Sobrenatural pode ser um dos novos fatores.

Se as leis da Natureza são verdades necessárias, nenhum milagre pode quebrá-las; mas, nesse caso, nenhum milagre precisa quebrá-las. Ocorre com elas o mesmo que com as leis da aritmética. Se eu colocar seis centavos em uma gaveta na segunda-feira e mais seis na terça-feira, as leis decretam que — *tudo o mais permanecendo igual* — encontrarei doze centavos lá na quarta-feira; mas, se a gaveta foi arrombada, talvez eu encontre apenas dois centavos. Algo terá sido quebrado (a fechadura da gaveta ou as leis da Inglaterra), mas as leis da aritmética não serão quebradas. A nova situação criada pelo ladrão demonstrará as leis da aritmética, bem como a situação original. Mas, se Deus vem para operar milagres, ele vem "como ladrão à noite".[3] O Milagre é, do ponto de vista do cientista, uma forma de alterar, adulterar ou (se quiser) de trapacear. Ele introduz um novo fator na situação, ou seja, a

---

[3]*Referência a 1Tessalonicenses 5:2.

força sobrenatural, com a qual o cientista não contava. Ele calcula o que vai acontecer, ou o que deve ter acontecido em uma ocasião passada, na crença de que a situação, naquele ponto do espaço e do tempo, é ou era A. Mas, se a força sobrenatural foi adicionada, então, a situação realmente é ou foi AB. E ninguém sabe melhor do que o cientista que AB não pode produzir o mesmo resultado que A. A verdade necessária das leis, longe de impossibilitar a ocorrência de milagres, garante que, se o Sobrenatural estiver operando, eles devem ocorrer; pois, se a situação natural por si só, e a situação natural *mais* alguma coisa, produzisse apenas o mesmo resultado, estaríamos então deparando com um universo sem lei e não sistemático. Quanto mais você souber que dois e dois somam quatro, tanto mais você saberá que dois e três não dão o mesmo resultado.

Isso talvez ajude a tornar um pouco mais claro o que de fato são as leis da Natureza. Temos o hábito de falar como se elas causassem acontecimentos, mas elas nunca causaram nenhum acontecimento. As leis do movimento não colocam as bolas de bilhar em movimento: elas analisam o movimento depois de outra coisa (digamos, um homem com um taco, ou um solavanco ou, talvez, um poder sobrenatural) tê-lo produzido. Elas não produzem acontecimentos: elas declaram o padrão com o qual todo acontecimento — se é que isso pode ser induzido a acontecer — deve estar em conformidade, assim como as regras da aritmética definem o padrão com o qual todas as transações com dinheiro devem estar em conformidade — se você conseguir manter algum dinheiro. Assim, em certo sentido, as leis da Natureza cobrem todo o campo do espaço e do tempo; em outro, o que elas deixam de fora é precisamente todo o universo real: a torrente incessante de acontecimentos reais que compõem a verdadeira história.

Isso deve vir de outro lugar. Pensar que as leis podem produzir isso é como pensar que você pode criar dinheiro real simplesmente fazendo somas; pois todas as leis, em última instância, dizem: "Se você tiver A, então, obterá B". Todavia, primeiro pegue seu A: as leis não farão isso por você.

Portanto, não há exatidão em definir um milagre como algo que quebra as leis da Natureza. Ele não o faz. Se bato meu cachimbo, altero a posição de muitos átomos: em longo prazo, e em um grau infinitesimal, mudo a de todos os átomos que existem. A natureza digere ou assimila esse acontecimento com perfeita facilidade e o harmoniza de maneira brilhante com todos os outros acontecimentos. É mais um pouco de matéria-prima em que as leis se aplicam, e elas se aplicam. Eu apenas jogo um acontecimento na catarata geral dos acontecimentos, e ele se acha em casa e está em conformidade com todos os outros. Se Deus aniquilar, criar ou desviar uma unidade da matéria, ele estará gerando uma nova situação nesse momento. Imediatamente toda a Natureza abriga essa nova situação, faz aquilo se sentir em casa em seu reino, adapta todos os outros acontecimentos a ela. Ela se encontra em conformidade com todas as leis. Se Deus criar um espermatozoide milagroso no corpo de uma virgem, isso não quebrará nenhuma lei. As leis imediatamente assumem o controle. A natureza está pronta. A gravidez prossegue, de acordo com todas as leis normais, e nove meses depois uma criança nasce.

Vemos todos os dias que a natureza física não é de modo algum incomodada pelo fluxo diário de acontecimentos de natureza biológica ou de natureza psicológica. Se os acontecimentos vierem de além da Natureza, ela não será mais incomodada por eles. Tenha certeza de que ela vai-se dirigir rapidamente ao ponto em que foi invadida, assim como as forças defensivas se dirigem rapidamente para um corte no dedo, e se apressam para acomodar o recém-chegado. No momento em que entra no reino da Natureza, ele obedece a todas as leis que nela existem. O vinho milagroso embriagará, a concepção milagrosa levará à gravidez, os livros inspirados sofrerão todos os processos comuns de corrupção textual, o pão milagroso será digerido. A arte divina do milagre não é uma arte de suspender o padrão segundo o qual os acontecimentos se ajustam, mas de alimentar novos acontecimentos naquele padrão. Eles não violam a condição da lei "Se A, então B", mas dizem: "Mas, desta vez, em vez de A, A2", e a Natureza, falando por intermédio de todas as suas leis, responde: "Então, B2", e naturaliza o imigrante, como ela bem sabe fazer. Ela é uma anfitriã talentosa.

Um milagre enfaticamente não é um acontecimento sem causa ou sem resultado. Sua causa é a atividade de Deus; seus resultados se seguem de acordo com a lei natural. Enquanto avança (isto é, durante o tempo que se segue à sua ocorrência), ele está interligado a toda a Natureza, como qualquer outro acontecimento. Sua peculiaridade é que ele não se interliga ao que passou, à história anterior da Natureza. E é exatamente isso que algumas pessoas consideram intolerável. A razão pela qual consideram intolerável é que elas partem do princípio de que a Natureza deve ser toda a realidade. E elas têm certeza de que toda a realidade deve estar interligada e ser consistente. Eu concordo com elas, mas acho que elas confundiram um sistema parcial dentro da realidade, ou seja, a Natureza, com o todo. Sendo assim, o milagre e a história anterior da Natureza podem estar interligados, afinal, mas não da maneira como o Naturalista esperava: antes, de uma maneira muito mais indireta. Tanto o grande acontecimento complexo chamado Natureza como o novo acontecimento particular introduzido

Milagres

nela pelo milagre estão relacionados por sua origem comum em Deus, e, sem dúvida, se conhecêssemos o suficiente, mais intrinsecamente ainda relacionados em seu propósito e projeto, de modo que uma Natureza que teve uma história diferente, sendo, portanto, uma Natureza diferente, teria sido invadida por milagres diferentes ou por nenhum. Dessa maneira, os milagres e o curso anterior da Natureza estão tão interligados quanto quaisquer outras duas realidades, mas você deve voltar até o Criador comum para encontrar a interligação. Você não a encontrará *na* Natureza.

O mesmo tipo de coisa acontece com qualquer sistema parcial. O comportamento dos peixes que estão sendo estudados em um tanque cria um sistema relativamente fechado. No entanto, suponha que o tanque seja sacudido por uma bomba na vizinhança do laboratório. O comportamento dos peixes agora não será mais explicável pelo que estava acontecendo no tanque antes de a bomba explodir; haverá uma falha na interligação retroativa. Isso não significa que a bomba e o histórico anterior de acontecimentos dentro do tanque sejam totalmente e finalmente dissociados. Isso significa que, para encontrar a relação entre eles, deve-se voltar à realidade muito ampla, que inclui o tanque e a bomba — a realidade da Inglaterra em tempo de guerra, quando as bombas estão caindo, mas alguns laboratórios ainda estão trabalhando.[4] Você nunca a encontraria na história do tanque. Do mesmo modo, o milagre não está *naturalmente* interligado na direção retroativa. Para descobrir como ele está interligado com a história anterior da Natureza, você deve reposicionar tanto a Natureza quanto o milagre em um contexto maior. Tudo *está*

---

[4]*Este livro foi publicado em 1947, dois anos após o final da Segunda Guerra Mundial.

Milagres e as leis da Natureza

conectado a tudo o mais, mas nem todas as coisas estão conectadas pelas estradas curtas e retas que esperávamos.

A exigência legítima de que toda a realidade seja consistente e sistemática não exclui, portanto, os milagres, mas tem uma contribuição muito valiosa a ser dada à nossa concepção deles. Ela nos lembra de que os milagres, se ocorrerem, devem, como todos os acontecimentos, ser revelações dessa harmonia total entre tudo o que existe. Nada arbitrário, nada simplesmente "fixado" e deixado irreconciliado com a textura da realidade total, pode ser admitido. Por definição, os milagres devem, é claro, interromper o curso usual da Natureza; mas, se forem reais, devem, no próprio ato de fazê-lo, afirmar ainda mais a unidade e a autoconsistência da realidade total em algum nível mais profundo. Eles não serão como pedaços sem métrica de prosa quebrando a unidade de um poema; eles serão como aquela audácia métrica que coroa o poema, a qual, embora não tenha paralelo em nenhum outro lugar do poema, ainda assim, sendo colocada exatamente naquele lugar e produzindo exatamente o que o afeta, é (para aqueles que entendem) a suprema revelação da unidade na concepção do poeta.

Se o que chamamos de Natureza é modificado pelo poder sobrenatural, podemos ter certeza de que a capacidade de sofrer modificação integra a essência da Natureza — que a totalidade de acontecimentos, se pudéssemos compreendê-la, acabaria por envolver, por seu próprio caráter, a possibilidade dessas modificações. Se a Natureza produz milagres, sem dúvida é tão "natural" para ela fazê-lo quando impregnada pela força masculina além dela, como é, para uma mulher, gerar filhos de um homem. Ao chamá-los de milagres, não queremos dizer que sejam contradições ou ultrajes; queremos dizer que, entregues à própria sorte, a Natureza nunca poderia produzi-los.

CAPÍTULO 9

Um capítulo quase desnecessário

"Vimos também os gigantes, os descendentes de Enaque, diante de quem parecíamos gafanhotos, a nós e a eles."

Números 13:33

Os dois capítulos anteriores trataram de objeções ao Milagre, feitas, por assim dizer, a partir da perspectiva da Natureza, com base no fato de que ela é o tipo de sistema que não pode admitir milagres. Nosso próximo passo, se seguíssemos uma ordem estrita, seria considerar objeções a partir da perspectiva — na verdade, indagar se o que está além da Natureza seria, de modo racional, o tipo de ser que poderia operar milagres, ou os faria. Contudo, me vejo bastante inclinado a me afastar e enfrentar primeiro uma objeção de um tipo diferente. Ela é puramente emocional; leitores mais exigentes podem pular este capítulo. Todavia, eu sei que é algo que me pesou muito em determinado período de minha vida, e, se outros passaram pela mesma experiência, talvez desejem ler sobre isso.

Uma das coisas que me afastou do Sobrenaturalismo foi uma profunda repugnância ao ponto de vista sobre a Natureza que, como a mim parecia, o Sobrenaturalismo implicava.

Um capítulo quase desnecessário

Eu ardentemente desejei que a Natureza existisse "por si só". A ideia de que ela fora criada, e podia ser alterada, por Deus, parecia tirar dela toda aquela espontaneidade que eu achava tão cheia de frescor. A fim de respirar livremente, eu queria sentir que, na Natureza, chegamos finalmente a algo que simplesmente *era*: o pensamento de que ela havia sido fabricada ou "colocada ali", e colocada ali com um propósito, era sufocante. Naquela época, recordo-me, escrevi um poema sobre um nascer do Sol, no qual, depois de descrever a cena, acrescentei que algumas pessoas gostavam de acreditar que havia um Espírito por trás de tudo e que esse Espírito estava se comunicando com elas. Mas, disse eu, era exatamente isso que eu não queria. O poema não era muito bom, e eu esqueci a maior parte dele, mas terminava dizendo o quanto mais eu gostaria de sentir:

> *Que a terra e o céu, por conta própria,*
> *Dançam continuamente,*
> *Para seu próprio bem — e para cá eu me arrasto*
> *Para assistir ao mundo por acaso.*

"Por acaso!" Eu não suportava sentir que o nascer do sol havia sido "arranjado" ou que tinha alguma coisa a ver comigo. Descobrir que isso simplesmente não havia acontecido, que havia sido planejado de alguma maneira, seria tão ruim quanto descobrir que o rato do campo que vi ao lado de uma cerca solitária era, na verdade, um rato mecânico colocado ali para me divertir ou (pior ainda) para me indicar alguma lição moral. O poeta grego pergunta: "Se a água gruda em sua garganta, o que você precisa para fazê-la descer?"[1] Da mesma

---
[1]*Não foi possível identificar a autoria do verso citado por Lewis.

forma, perguntei: "Se a própria natureza se provar artificial, onde você procurará a selvageria? Onde está o verdadeiro ambiente 'ao ar livre'?" Descobrir que todos os bosques, e os pequenos riachos no meio dos bosques, e os lugares afastados e incomuns dos vales entre as montanhas, e o vento e a grama eram apenas uma espécie de *cenário*, apenas as cortinas de fundo para algum tipo de peça de teatro, e que essa peça talvez seja uma daquelas que têm um moral — que vulgaridade, que anticlímax, que tédio insuportável!

A cura desse estado de espírito começou anos atrás; mas devo registrar que ela só se completou quando comecei a estudar essa questão dos Milagres. Em todas as etapas da redação deste livro, descobri que minha ideia de Natureza se tornava mais vívida e mais concreta. Dediquei-me a um trabalho que parecia envolver a redução da posição dela e derrubar suas paredes a todo momento; o resultado paradoxal é uma crescente percepção de que, se eu não tomar muito cuidado, ela se tornará a heroína de meu livro. Ela nunca me pareceu tão grande ou mais real do que neste momento.

A razão não é difícil de encontrar. Para quem é Naturalista, "Natureza" é apenas outra palavra para "tudo". E Tudo não é um assunto sobre o qual algo muito interessante possa ser dito ou (salvo por ilusão) sentido. Um aspecto das coisas nos impressiona, e falamos da "paz" da Natureza; outro nos impressiona, e falamos de sua crueldade. E, então, porque nós a tomamos falsamente como o Fato supremo e autoexistente, e por não podermos reprimir completamente nosso elevado instinto de adorar o Autoexistente, estamos todos à deriva, e nosso estado de espírito flutua, e a Natureza significa para nós o que nos agradar, conforme o estado de espírito selecione ou despreze. Mas tudo se torna diferente quando reconhecemos que a Natureza é uma *criatura*, uma coisa criada, com seu cheiro forte ou sabor particular. Não há mais necessidade de selecionar e desprezar. Não é nela, mas em Algo muito além dela, que todas as linhas se encontram e todos os contrastes são explicados. Não é mais desconcertante o fato de que a criatura chamada Natureza seja ao mesmo tempo justa e cruel do que o acontecimento de que o primeiro homem que você encontra no trem seja um vendedor de comida desonesto e um marido gentil. Pois ela não é o Absoluto: ela é uma das criaturas, com seus pontos positivos e seus pontos negativos e seu sabor inconfundível percorrendo todos eles.

Dizer que Deus a criou não é dizer que ela é irreal, mas precisamente que ela é real. Você faria Deus menos criativo do que Shakespeare ou Dickens? O que ele cria é feito levando tudo em consideração: é muito mais concreto que Falstaff ou Sam Weller.[2] Com certeza, os teólogos nos dizem que ele criou a Natureza livremente. Com isso, querem dizer que ele não foi forçado a fazê-lo por qualquer necessidade externa.

Contudo, não devemos interpretar negativamente a liberdade, como se a Natureza fosse uma mera construção de partes arbitrariamente unidas. A liberdade criativa de Deus deve ser concebida como a liberdade de um poeta: a liberdade de criar uma coisa consistente e positiva com seu próprio sabor inimitável. Shakespeare não precisa criar Falstaff, mas, se o fizer, Falstaff *tem de* ser gordo. Deus não precisa criar esta Natureza. Ele poderia ter criado outras, ele pode ter criado outras. No entanto, considerando-se *essa* natureza, então, sem

---

[2]*Sir John Falstaff, personagem cômico de quatro peças de William Shakespeare. Sam Weller, personagem de *As aventuras do sr. Pickwick*, de Charles Dickens.

Milagres

dúvida, nem mesmo a menor parte dela existe a não ser porque expressa o caráter que ele escolheu dar a ela.

Seria um erro infeliz supor que as dimensões de espaço e tempo, a morte e o renascimento da vegetação, a unidade na multiplicidade de organismos, a união entre sexos opostos e a cor de cada maçã em particular no condado de Herefordshire neste outono fossem tão somente uma coleção de artifícios úteis unidos à força. Eles são o próprio idioma, quase a expressão facial, o cheiro ou o sabor, de uma coisa individual. A *qualidade* da Natureza está presente em todos eles, assim como a latinidade do latim está presente em cada inflexão ou a "corregiosidade" de Correggio[3] em cada toque do pincel.

A natureza é, pelos padrões humanos (e provavelmente pelos divinos), em parte boa e em parte má. Nós, cristãos, cremos que ela foi corrompida. Mas o mesmo cheiro forte ou sabor percorrem suas corrupções e suas excelências. Tudo está no caráter. Falstaff não peca da mesma maneira que Otelo.[4] A queda de Otelo mantém uma estreita relação com suas virtudes. Se Perdita tivesse caído, ela não teria sido má da mesma forma que Lady Macbeth; se Lady Macbeth tivesse permanecido boa, sua bondade teria sido bem diferente daquela de Perdita.[5] Os males que vemos na Natureza são, por assim dizer, os males próprios *dessa* Natureza. Seu próprio caráter decretou que, se ela fosse corrompida, a corrupção assumiria essa forma e não outra. Os horrores do

---

[3]*Antonio Allegri, conhecido como "Correggio" (nome da cidade em que nasceu; 1489–1534), pintor italiano, precursor da pintura ilusionista.

[4]*Otelo é personagem da peça homônima de Shakespeare. É um general mouro que, embora se mostre forte e seguro, é dominado pelo ciúme.

[5]*Perdita e Lady Macbeth são personagens, respectivamente, das peças *Contos de inverno* e *Macbeth*, de Shakespeare.

Um capítulo quase desnecessário

parasitismo e as glórias da maternidade são coisas boas e más, desenvolvidas fundamentalmente a partir do mesmo esquema ou ideia.

Eu acabei de mencionar a latinidade do latim. Ela é mais evidente para nós do que pode ter sido para os romanos. O inglesismo do inglês é audível apenas para quem também conhece outro idioma. Da mesma maneira e pela mesma razão, apenas os Sobrenaturalistas veem de fato a Natureza. Você deve afastar-se um pouco dela, depois virar-se e olhar para trás. Desse modo, finalmente, a verdadeira paisagem se tornará visível. Você deve ter provado, ainda que de modo breve, a água pura vinda de além do mundo antes de poder estar distintamente consciente do sabor quente e salgado da corrente da Natureza. Tratá-la como Deus, ou como Tudo, é perder toda a sua essência e o seu prazer. Saia, olhe para trás e, então, você verá... essa catarata surpreendente de ursos, bebês e bananas; esse dilúvio imoderado de átomos, orquídeas, laranjas, cânceres, canários, pulgas, gases, tornados e sapos. Como você poderia pensar que essa era a realidade última? Como você poderia pensar que ela era apenas um cenário para o drama moral de homens e mulheres? Ela é ela mesma. Não lhe ofereça adoração nem desprezo. Encontre-a e conheça-a. Se formos imortais, e se ela estiver condenada (como os cientistas nos dizem) a declinar e morrer, sentiremos falta dessa criatura meio tímida e meio exuberante, essa ogra, essa moça levada, essa fada incorrigível, essa bruxa silenciosa.

Contudo, os teólogos nos dizem que ela, como nós, deve ser redimida. A "vaidade" a que ela foi submetida era sua doença, não sua essência.[6] Ela será curada em caráter; não

---

[6]*Referência a Romanos 8:20.

subjugada (que o céu não permita) nem esterilizada. Ainda seremos capazes de reconhecer nossa velha inimiga, amiga, companheira de brincadeira e mãe adotiva, de forma tão aperfeiçoada que não será menos, e sim mais, ela mesma. E isso será uma reunião alegre.

CAPÍTULO 10

"Coisas vermelhas nojentas"

"Podemos chamar a tentativa de refutar o teísmo por exibir a continuidade da crença em Deus como uma ilusão primitiva de o método da intimidação antropológica."
Edwyn Bevan, Symbolism and Belief, cap. 11[1]

Venho argumentando que não há segurança contra o Milagre que possa ser encontrada pelo estudo da Natureza. Ela não é toda a realidade, mas apenas uma parte; pelo que sabemos, ela pode ser uma parte pequena. Se aquilo que está fora dela deseja invadi-la, ela não tem, até onde podemos ver, defesa alguma. Contudo, é claro que muitos que não acreditam em Milagres admitiriam tudo isso. A objeção deles vem do outro lado. Eles acreditam que o Sobrenatural não a invadiria: aqueles que dizem que isso ocorreu são por eles acusados de ter uma noção infantil e indigna do Sobrenatural. Eles, portanto, rejeitam todas as formas de Sobrenaturalismo que afirmam essas

---

[1]*Edwyn Robert Bevan (1870–1943), historiador cristão inglês, catedrático de religiões comparadas, literatura e história helenista. Seu livro *Symbolism and Belief* [Simbolismo e fé] foi publicado em 1938.

Milagres

interferências e invasões; e especialmente a forma chamada cristianismo, pois nela os Milagres, ou, pelo menos, alguns Milagres, estão mais intimamente ligados à tessitura de toda a crença do que em qualquer outra. Todos os elementos essenciais do hinduísmo permaneceriam intactos, eu penso, se você subtraísse dele o milagroso, e o mesmo se aplica ao islamismo. Todavia, não se pode fazer isso com o cristianismo. Ele é precisamente a história de um grande Milagre. Um cristianismo naturalista deixa de fora tudo o que é especificamente cristão.

As dificuldades do incrédulo não começam com perguntas sobre este ou aquele milagre em particular; elas começam em um ponto muito anterior. Quando um homem que teve apenas a educação moderna comum estuda qualquer afirmação oficial da doutrina cristã, encontra-se frente a frente com o que lhe parece uma imagem totalmente "selvagem" ou "primitiva" do universo. Ele descobre que Deus deveria ter tido um "Filho", como se Deus fosse uma divindade mitológica como Júpiter ou Odin. Ele descobre que esse "Filho" deveria "descer do céu", como se Deus tivesse um palácio nos céus, do qual ele houvesse enviado Seu "Filho" como um paraquedista. Ele descobre que esse "Filho", então, "desceu ao Hades" — em alguma região dos mortos sob a superfície de uma terra (presumivelmente) plana — e daí "subiu" novamente, como se usasse um balão, ao palácio celeste de seu Pai, onde ele finalmente se sentou em uma cadeira decorada e colocada um pouco à direita do Pai. Tudo parece pressupor uma concepção da realidade que o aumento de nosso conhecimento tem refutado firmemente nos últimos dois mil anos e à qual nenhum homem honesto em sã consciência poderia retornar hoje.

É essa impressão que explica o desprezo, e até a aversão, que muitas pessoas sentem pelos escritos dos cristãos modernos. Quando um homem está convencido de que o cristianismo *em geral* implica um "céu" local, uma terra plana e um Deus que pode ter filhos, ele naturalmente ouve com impaciência nossas soluções de dificuldades particulares e nossas defesas contra objeções específicas. Quanto mais engenhosos somos nessas soluções e defesas, mais perversos lhe parecemos. "É claro", diz ele, "que, uma vez que as doutrinas sejam apresentadas, pessoas inteligentes podem inventar argumentos inteligentes para defendê-las, assim como, quando um historiador comete um erro, ele pode continuar inventando teorias cada vez mais elaboradas para fazer parecer que aquilo não foi um erro. Contudo, o fato é que nenhuma dessas elaboradas teorias teria sido pensada se ele tivesse lido seus documentos corretamente desde o primeiro momento. Do mesmo modo, não está claro que a teologia cristã nunca teria existido se todos os escritores do Novo Testamento tivessem o mínimo conhecimento sobre como o universo de fato é?" Era assim que eu, de alguma forma, costumava pensar. O próprio homem que me ensinou a pensar — um ateu duro e satírico (ex-presbiteriano) que apreciava o *Golden Bough* e encheu sua casa com os produtos da Rationalist Press Association[2] — pensava da mesma maneira;

---

[2]*O homem a quem Lewis se refere era William Thompson Kirkpatrick (1848–1921), que foi seu professor particular de 1914 a 1917. Ele é chamado de Kirk, Knock ou o Grande Knock no cap. 9 de *Surpreendido pela alegria*. *The Golden Bough: A Study in Comparative Religion* [O ramo de ouro: Um estudo de religião comparada] é uma obra de Sir James George Frazer (1854–1941), antropólogo e folclorista escocês. O nome do livro é referência a uma passagem encontrada na *Eneida*, 6:124-211, de Virgílio. Quem arrancasse o ramo de ouro de certa árvore sagrada do bosque em que ficava um santuário para a deusa Diana podia ser seu sacerdote, matando o anterior, e assumir o título de rei do bosque. A Associação da Imprensa Racionalista, hoje apenas Associação Racionalista, foi fundada em 1885 com o objetivo de publicar literatura antirreligiosa. Atualmente publica a revista *New Humanist* [O novo humanista].

e ele era um homem tão honesto quanto a luz do dia, com quem aqui, de bom grado, reconheço ter uma dívida imensa. Sua atitude em relação ao cristianismo foi, para mim, o ponto de partida de um pensamento adulto. Pode-se dizer que foi a partir dali que ele se desenvolveu. No entanto, desde aqueles dias, considero essa atitude um completo mal-entendido.

Lembrando, ao pensar como eu era em meu âmago, a atitude do cético impaciente, percebo muito bem como ele está acautelado contra qualquer coisa que eu possa dizer no restante deste capítulo. "Eu sei exatamente o que esse homem vai fazer", ele murmura. "Ele começará a explicar todas estas declarações mitológicas. É a prática invariável desses cristãos. Em qualquer assunto sobre o qual a ciência ainda não tenha falado e que não possa ser verificado, eles contarão alguns contos absurdos. E, depois, quando a ciência fizer um novo avanço e mostrar (como invariavelmente o faz) que a afirmação deles é falsa, eles, de um momento para o outro, mudam tudo e explicam que não quiseram dizer o que disseram, que estavam usando uma metáfora poética ou construindo uma alegoria, e que tudo o que eles realmente pretendiam era uma trivialidade moral inofensiva. Estamos enauseados com essa trapaça teológica."

Bem, tenho muita simpatia por essa náusea e admito de modo franco que o cristianismo "modernista" constantemente age do mesmíssimo modo do qual o cético impaciente o acusa. Também acho, no entanto, que há um tipo de explicação que não dá satisfação das coisas. Em certo sentido, farei exatamente o que o cético pensa que vou fazer: isto é, vou distinguir o que considero o "núcleo" ou o "significado real" das doutrinas daquilo em sua expressão que considero como não essencial e que possa talvez até mesmo ser alterado sem danos. Mas então, o que desaparecerá do "significado real" sob meu tratamento *não* será precisamente o milagroso. Esse é o núcleo em si, o núcleo que foi raspado para ficar o mais limpo possível, o que permanece para mim inteiramente milagroso, sobrenatural — não só isso, mas, se você quiser, "primitivo" e até "mágico".

Para explicar isso, devo agora tocar em um assunto que tem uma importância muito diferente do nosso objetivo atual e o qual todos que desejam pensar com clareza devem dominar o mais rápido possível. E deveriam começar lendo *Poetic Diction*, do sr. Owen Barfield,[3] e *Symbolism and Belief*, do sr. Edwyn Bevan. Mas, para o presente argumento, será suficiente deixar os problemas mais profundos de lado e prosseguir de uma maneira "popular" e sem ambição.

Quando penso em Londres, costumo ver uma imagem mental da estação ferroviária de Euston. Mas, quando penso (como faço) que Londres tem vários milhões de habitantes, não quero dizer que haja vários milhões de imagens de pessoas contidas em minha imagem da Estação Euston. Também não quero dizer que vários milhões de pessoas reais morem na verdadeira Estação Euston. De fato, embora eu tenha a imagem enquanto penso em Londres, o que penso ou digo não é *sobre* essa imagem, e seria manifesto absurdo se fosse. Ela faz sentido porque não é sobre minhas próprias imagens mentais, mas sobre a verdadeira Londres, fora da minha imaginação, da qual ninguém pode ter uma adequada imagem mental completa. Ou ainda, quando dizemos que o Sol está a uns 150 milhões de quilômetros de distância, entendemos

---

[3]*Owen Barfield (1898–1997), filósofo, autor, poeta e crítico inglês. Amigo de longa data de Lewis, seu colega no grupo *The Inklings* e editor de algumas de suas obras. Seu livro *Poetic Diction: A Study in Meaning* [Estilo poético: Um estudo sobre o significado], que exerceu grande influência sobre Lewis e Tolkien, foi publicado em 1928.

de modo perfeitamente claro o que se quer dizer com esse número; podemos dividi-lo e multiplicá-lo por outros números e calcular quanto tempo levaria para percorrer essa distância em qualquer dada velocidade. Mas esse claro *pensamento* é acompanhado por *imaginar* o que é ridiculamente falso com respeito ao que sabemos que a realidade deve ser.

Pensar, então, é uma coisa, e imaginar é outra. O que pensamos ou dizemos pode ser, e geralmente é, bem diferente do que imaginamos ou fantasiamos; e o que queremos dizer pode ser verdade ao passo que as imagens mentais que o acompanham são totalmente falsas. É, de fato, duvidoso que alguém, exceto um visionário extremo que também seja um artista treinado, tenha imagens mentais que sejam particularmente semelhantes às coisas em que ele está pensando.

Nesses exemplos, a imagem mental não é apenas diferente da realidade, mas também é conhecida por ser diferente dela, pelo menos após um momento de reflexão. Eu sei que Londres não é apenas a Estação Euston. Vamos agora passar a uma situação ligeiramente diferente. Certa vez, ouvi uma senhora dizer à filha que se poderia morrer pela ingestão de muitos comprimidos de aspirina.

— Mas por quê? —, perguntou a criança. — Não é venenoso.

— Como você sabe que não é venenoso? — disse a mãe.

— Porque — respondeu a criança — quando você esmaga um comprimido de aspirina, não encontra coisas vermelhas nojentas dentro dele.

Claramente, quando essa criança pensava em veneno, ela tinha uma imagem mental de Coisas Vermelhas Nojentas, assim como eu tenho uma imagem de Euston quando penso em Londres. A diferença é que, embora eu saiba que minha imagem é muito diferente da verdadeira Londres, a criança pensava que o veneno era *realmente* vermelho. Nesse ponto, ela estava enganada; mas isso não significa que tudo o que ela pensava ou disse sobre veneno era necessariamente sem sentido. Ela sabia muito bem que um veneno é algo que mata ou deixa doente quem o engole; e ela sabia, até certo ponto, quais substâncias encontradas na casa da mãe eram venenosas. Se alguém que visitasse aquela casa tivesse sido avisado pela criança: "Não beba isso. Mamãe diz que é veneno", ele teria sido mal aconselhado se negligenciasse o aviso com o argumento de que: "Essa criança tem uma ideia primitiva de veneno como Coisas Vermelhas Nojentas, que meu conhecimento científico adulto há muito refutou".

Podemos agora adicionar à nossa afirmação anterior (a declaração de que o pensamento pode ser sadio, embora as imagens que o acompanham sejam falsas) uma afirmação adicional: o pensamento pode ser sadio em certos aspectos, embora seja acompanhado não apenas por imagens falsas, mas também por imagens falsas confundidas com as verdadeiras.

Ainda existe uma terceira situação a ser tratada. Nos dois exemplos anteriores, preocupamo-nos com o pensamento e a imaginação, mas não com a linguagem. Eu tive de imaginar a Estação Euston, mas não precisei *mencioná-la*; a criança pensava que o veneno e as Coisas Vermelhas Nojentas eram a mesma coisa, mas podia falar sobre veneno sem dizer isso. Contudo, muitas vezes, quando estamos falando de algo que não é perceptível pelos cinco sentidos, usamos palavras que, em um de seus significados, fazem referência a coisas ou ações que são. Quando um homem diz que pegou uma ideia, está usando um verbo ("pegar") que literalmente significa "agarrar ou segurar algo", mas, com certeza, ele não está pensando que sua mente tem mãos ou que uma ideia pode ser pega do mesmo modo que o fazemos com uma arma. Para evitar a palavra "pegar", ele pode mudar a forma de expressão e dizer: "Entendo seu ponto de vista", mas ele não quer dizer que um ponto final tenha aparecido em seu campo visual. Ele pode fazer uma terceira tentativa e dizer: "Estou acompanhando seu raciocínio", mas ele não quer dizer que esteja seguindo atrás do falante por uma estrada.

Todo mundo está familiarizado com esse fenômeno linguístico, e os gramáticos o chamam de metáfora. Mas é um erro sério pensar que a metáfora é uma coisa opcional que poetas e oradores podem colocar em seu trabalho como se fosse decoração e da qual os falantes simples podem prescindir. A verdade é que, se quisermos falar sobre coisas que não são percebidas pelos sentidos, somos forçados a usar a linguagem metafórica. Livros sobre psicologia, economia ou política são tão metafóricos quanto livros de poesia ou devocionais. Não há outra maneira de falar, como todo filólogo sabe. Os que desejarem, podem-se certificar disso lendo os livros que já mencionei e os outros livros aos quais esses dois tipos os levarão. É um estudo para a vida toda, e aqui devo me contentar com a mera afirmação: todo discurso sobre o que está além dos sentidos é, e deve ser, metafórico no mais alto grau.

Temos agora três princípios orientadores diante de nós. (1) O pensamento é distinto da imaginação que o acompanha. (2) O pensamento pode ser sadio em sua maior parte, mesmo quando as imagens falsas que o acompanham são confundidas, pelo pensador, com as verdadeiras. (3) Qualquer pessoa que fale sobre coisas que não podem ser vistas, ou tocadas, ou ouvidas, ou algo do tipo, deve inevitavelmente falar como *se elas pudessem ser* vistas, tocadas ou ouvidas (por exemplo: deve falar de "complexos" e "repressões" *como se* os desejos pudessem de fato ser amarrados em pacotes ou empurrados para trás; de "crescimento" e "desenvolvimento" *como se* as instituições pudessem de fato crescer como árvores ou desabrochar como flores; de energia ser "liberada" *como se* fosse um animal saindo da jaula).

Vamos agora aplicar isso aos artigos "selvagens" ou "primitivos" do credo cristão. E admitamos, de imediato, que muitos cristãos (de modo algum, porém, todos) quando fazem essas afirmações têm em mente apenas aquelas imagens mentais grosseiras que tanto horrorizam o cético. Quando dizem que Cristo "desceu do céu", eles têm uma imagem vaga de algo movendo-se rapidamente ou planando das alturas cá para baixo. Quando dizem que Cristo é o "Filho" do "Pai", podem imaginar duas formas humanas, uma que parece um pouco mais velha que a outra. Agora sabemos, no entanto, que a mera ocorrência dessas imagens mentais não nos diz nada sobre a razoabilidade ou o absurdo dos pensamentos que elas acompanham. Se imagens absurdas significam pensamentos absurdos, todos estamos pensando coisas sem sentido o tempo todo. E os próprios cristãos deixam claro que as imagens não devem ser identificadas com a coisa em que se crê. Eles podem imaginar o Pai como uma forma humana, mas também sustentam que ele não tem corpo. Eles podem imaginá-lo mais velho que o filho, mas também sustentam que um não existia antes do outro, que ambos existem desde toda a eternidade. Estou falando, é claro, sobre cristãos adultos. O cristianismo não deve ser julgado pelas fantasias das crianças, nem a medicina, pelas ideias da menininha que acreditava em coisas vermelhas nojentas.

Neste ponto, devo voltar-me para lidar com uma ilusão bastante simplória. Quando indicamos que aquilo a que os cristãos se referem não deve ser identificado com suas figuras mentais, algumas pessoas dizem: "Neste caso, não seria melhor livrar-se das figuras mentais e da linguagem que as sugere, completamente?" Mas isso é impossível. As pessoas que recomendam isso não perceberam que, quando tentam se livrar de imagens humanas, ou "antropomórficas", como são chamadas, apenas conseguem substituí-las por imagens de outro tipo. "Não acredito em um Deus pessoal", diz alguém, "mas acredito em uma grande força espiritual". O que ele não notou é que a palavra "força" admite todo tipo de imagens sobre ventos, e marés, e eletricidade, e gravitação. "Não acredito em um Deus pessoal", diz outro, "mas acredito que somos todos partes de um grande Ser que se move e trabalha por meio de todos nós" — sem perceber que apenas trocou a imagem paterna e da realeza de um homem pela imagem de algum gás ou fluido amplamente difundido. Uma garota que conheci foi criada por pais de "pensamento superior" a considerar Deus como uma "substância" perfeita; mais tarde, ela percebeu que isso realmente a levara a pensar nele como algo parecido com um vasto pudim de tapioca. (Para piorar, ela não gostava de tapioca.)

Podemos achar que estamos bastante a salvo desse grau de absurdo, mas estamos enganados. Se um homem observa a própria mente, acredito que ele descobrirá que o que professa serem concepções de Deus especialmente avançadas ou filosóficas são, em seu pensamento, sempre acompanhadas por imagens vagas que, se inspecionadas, seriam ainda mais absurdas do que as imagens de semelhança com o homem evocadas pela teologia cristã. Afinal, o homem é a coisa mais elevada que encontramos na experiência que é dada pelos sentidos. Ele, pelo menos, conquistou o mundo, honrou (embora não seguisse) a virtude, adquiriu conhecimento, fez poesia, música e arte. Se Deus existe, não é irracional supor que somos menos diferentes dele do que qualquer outra coisa que conhecemos. Sem dúvida, somos indizivelmente diferentes dele; nesse aspecto, todas as imagens de semelhança ao homem são falsas. Mas aquelas imagens de névoas disformes e forças irracionais que, mesmo que não se reconheça, assombram a mente quando pensamos estar nos erguendo à concepção do Ser impessoal e absoluto, devem ser muito mais falsas; pois imagens, de um tipo ou de outro, virão; não podemos pular fora de nossa própria sombra.

No que diz respeito, então, ao cristão adulto dos tempos modernos, o absurdo das imagens não implica um absurdo nas doutrinas; mas pode-se perguntar se o cristão primitivo estava na mesma posição. Talvez ele tenha confundido as imagens com as coisas verdadeiras e tenha realmente acreditado no palácio celeste ou no trono decorado. Mas, como vimos no exemplo das Coisas Vermelhas Nojentas, mesmo isso não invalidaria necessariamente tudo o que ele pensava sobre esses assuntos. A criança em nosso exemplo pode conhecer muitas verdades sobre o veneno e até, em alguns casos particulares, verdades que certo adulto poderia não saber. Podemos imaginar um camponês galileu que pensasse que Cristo havia literalmente e fisicamente "se sentado à direita do Pai". Se um homem assim tivesse ido à Alexandria e recebesse uma educação filosófica, teria descoberto que o Pai não tinha a mão direita e não se sentava no trono. É concebível que ele considerasse que isso faria alguma diferença com respeito ao que ele realmente pretendia e valorizava na doutrina durante os dias de sua ingenuidade? Pois, a menos que suponhamos que ele não tenha sido apenas um camponês, mas também um tolo (duas coisas muito diferentes), detalhes físicos sobre uma suposta sala do trono celestial não eram aquilo com o que ele se importava. O que lhe importava deve ter sido a crença de que uma pessoa que ele conheceu como um homem

Milagres

na Palestina tinha, como pessoa, sobrevivido à morte e estava agora operando como o agente supremo do Ser sobrenatural que governa e mantém todo o campo da realidade. E essa crença sobreviveria substancialmente inalterada após o reconhecimento da falsidade das imagens anteriores.

Mesmo que se pudesse demonstrar, então, que os primeiros cristãos aceitaram suas imagens literalmente, isso não significa que somos justificados em relegar suas doutrinas como um todo para o quarto de trastes. Se eles realmente fizeram, é outra questão. A dificuldade aqui é que eles não estavam escrevendo como filósofos para satisfazer a curiosidade especulativa sobre a natureza de Deus e do universo. Eles *criam* em Deus; e, uma vez que um homem crê, a definição filosófica nunca poderá ser a *primeira* necessidade. Um homem que está se afogando não analisa a corda que é lançada para ele, nem um amante apaixonado considera a química da tez de sua amada. Portanto, o tipo de pergunta que estamos considerando agora nunca foi feito pelos escritores do Novo Testamento. Quando a questão é colocada, o cristianismo decide claramente que as imagens ingênuas são falsas.

A seita no deserto egípcio, que pensava que Deus era como um homem, é condenada: o monge do deserto que sentiu que havia perdido algo por sua correção é reconhecido como alguém de "mente confusa".[4] Todas as três Pessoas da

---

[4]* *Senex mente confusus*. Cassiano citado em Gibbon, cap. xlvii. [* *The History of the Decline and Fall of the Roman Empire* (A história do declínio e da queda do Império Romano), obra em seis volumes publicada entre 1776 e 1789, de autoria de Edward Gibbon (1737–1794), era caracterizada por crítica à religião organizada. A citação feita por Lewis refere-se a São Serapião de Thmuis, que deixou a vida monástica para se tornar bispo. Foi grande combatente das heresias de seus dias. João Cassiano (c. 360–435), teólogo cristão, conhecido como um dos Padres do Deserto.]

Trindade foram declaradas "ilimitadas".[5] Deus é chamado de "inexprimível, indizível, inacessível" a todos os seres criados.[6] A Segunda Pessoa, o Filho, não é apenas alguém sem corpo, mas tão diferente do homem que, se a autorrevelação tivesse sido seu único propósito, ele não teria escolhido encarnar em forma humana.[7] Não encontramos afirmações semelhantes no Novo Testamento porque as dúvidas ainda não haviam sido explicitadas, mas encontramos afirmações que asseguram como as dúvidas seriam decididas ao se tornarem explícitas. O título "Filho" pode parecer "primitivo" ou "ingênuo"; mas, no Novo Testamento, esse "Filho" é identificado com o Discurso,

---

[5]Credo de Atanásio. [* O Credo de Atanásio, subscrito pelos três principais ramos da Igreja Cristã, é geralmente atribuído a Atanásio, Bispo de Alexandria (século IV), mas estudiosos do assunto conferem a ele data posterior (século V). Sua forma final teria sido alcançada apenas no século VIII. O texto grego mais antigo deste credo provém de um sermão de Cesário, no início do século VI. (Paulo Anglada, *Sola Scriptura*: A doutrina reformada das Escrituras [São Paulo: Os Puritanos, 1998], 180.) A referência de Lewis é à cláusula 9: "O Pai é ilimitado, o Filho é ilimitado, o Espírito Santo é ilimitado". Outra versão usa a palavra "imenso".]

[6]São João Crisóstomo, *Da incompreensibilidade de Deus*, Coleção Patrística, vol. 23 (São Paulo: Paulus Editora, 2007). [* Crisóstomo usa expressões semelhantes várias vezes em sua obra. Em uma delas, diz: "Os profetas empregam continuamente todas essas imagens, rivalizando entre si para nos apresentar a insignificância de nossa natureza. Aquele, contudo, que sujeitas à tua curiosidade indiscreta é imortal, imutável, sempre existente, inalterável, sem começo, infinito, incompreensível; supera a inteligência, desafia o raciocínio, é inexprimível, indizível, inacessível não somente a mim e a ti, aos profetas e apóstolos, mas também às Potestades do alto, embora puras, invisíveis, incorpóreas e habitantes perpétuas do céu" (2:18).]

[7]Atanásio, *Da encarnação do Verbo*, II.8.2,3. [* A citação completa é: "O Verbo tomou, por isso, um corpo igual ao nosso. Pois, não quis apenas estar num corpo, nem quis somente aparecer. Efetivamente, teria podido, se quisesse, apenas aparecer, ou realizar esta teofania através de um ser mais poderoso que o homem. Assumiu, no entanto, um corpo como o nosso" Coleção Patrística, vol. 18 (São Paulo: Paulus Editora, 2002).]

Milagres

ou a Razão, ou a Palavra, que estava eternamente "com Deus" e, no entanto, também *era* Deus.[8] Ele é o princípio onipresente de concreção ou coesão pelo qual o universo se mantém unido.[9] Todas as coisas, e especialmente a vida, surgiram *dele*,[10] e a partir dele todas as coisas chegarão à sua conclusão: a declaração final daquilo que estão tentando expressar.[11]

É claro que é sempre possível imaginar um estrato anterior do cristianismo no qual essas ideias estivessem ausentes, assim como é sempre possível dizer que qualquer coisa de que você não gosta em Shakespeare foi colocada ali por alguém que fez uma "adaptação" e a peça original estava livre daquilo. Mas o que essas suposições têm a ver com investigações sérias? E aqui a fabricação delas é especialmente perversa, já que, mesmo que retrocedamos do cristianismo para o próprio judaísmo, não encontraremos o antropomorfismo (ou semelhança com o homem) inequívoco que estamos procurando.

Admito que também não encontraremos sua negação. Encontraremos, por um lado, Deus sendo apresentado como habitando acima, "num lugar alto e santo";[12] encontraremos, por outro lado: "'Não sou eu aquele que enche os céus e a terra?', pergunta o SENHOR".[13] Observamos que, na visão de Ezequiel, Deus apareceu (observe as palavras hesitantes) como "uma figura que parecia um homem".[14] Mas também encontraremos a advertência: "No dia em que o SENHOR lhes falou do meio do fogo em Horebe, vocês não viram forma

---

[8] João 1:1.
[9] Colossenses 1:17.
[10] Colossenses 1:16: "ἐν αὐτῷ ἐκτίσθη". João 1:4.
[11] Efésios 1:10.
[12]*Isaías 57:15.
[13] Jeremias 23:24.
[14] Ezequiel 1:26.

alguma. Portanto, tenham muito cuidado, para que não se corrompam e não façam para si um ídolo, uma imagem de qualquer forma semelhante a homem ou mulher".[15] O mais desconcertante de tudo, para um literalista moderno, é que o Deus que parece viver localmente no céu também *criou* o céu.[16]

A razão por que o literalista moderno está intrigado é por estar tentando tirar dos escritores antigos algo que não está ali. Partindo de uma clara distinção moderna entre material e imaterial, ele tenta descobrir de que lado dessa distinção se encaixa a antiga concepção hebraica. Ele esquece que a distinção em si só foi esclarecida por pensamentos posteriores.

Muitas vezes é dito que o homem primitivo não podia conceber o espírito puro, mas, então, ele também não podia conceber mera matéria. Um trono e uma habitação local são atribuídos a Deus somente naquele estágio em que ainda é impossível considerar mesmo o trono ou o palácio de um rei terrestre apenas como objetos físicos. Nos tronos e palácios terrestres, era o significado espiritual — ou, como deveríamos chamar, a "atmosfera" — que importava para a mente antiga. Assim que o contraste entre "espiritual" e "material" foi proposto à mente dos antigos, eles sabiam que Deus era "espiritual" e perceberam que sua religião implicava isso o tempo todo. Mas, numa fase anterior, esse contraste não existia. Considerar esse estágio inicial como não espiritual, por não encontrarmos nenhuma afirmação clara de espírito não corporificado, é um verdadeiro mal-entendido. Você poderia chamá-lo de espiritual por não conter clara consciência da mera matéria. O sr. Barfield mostrou, no que diz respeito à história da linguagem, que as palavras não surgiram por se

---

[15] Deuteronômio 4:15-16.
[16] Gênesis 1:1.

referir meramente a objetos físicos e depois se estenderam por metáforas para se referirem a emoções, estados mentais e afins. Pelo contrário, os agora chamados de significados "literais e metafóricos" foram desvinculados pela análise de uma antiga unidade de significado que não era nem um nem outro. Do mesmo modo, é bastante errôneo pensar que o homem começou com um Deus ou um "Céu" "material" e, gradualmente, os espiritualizou. Ele não poderia ter começado com algo "material", pois o "material", como entendemos, só é percebido pelo contraste com o "imaterial", e os dois lados do contraste crescem na mesma velocidade. O homem começou com algo que não era nenhum dos dois. Enquanto estivermos tentando voltar a leitura até aquela unidade antiga, em um ou no outro dos dois opostos que foram analisados a partir dela, interpretaremos equivocadamente toda a literatura primitiva e ignoraremos muitos estados de consciência que nós mesmos ainda, de tempos em tempos, experimentamos. Esse ponto é crucial, não apenas para a presente discussão, mas também para qualquer crítica ou filosofia literária sólida.

As doutrinas cristãs, e mesmo as doutrinas judaicas que as precederam, sempre foram declarações sobre a realidade espiritual, e não espécimes da ciência física primitiva. Tudo o que é positivo na concepção do espiritual sempre esteve contido nelas; é apenas seu aspecto negativo (imaterialidade) que teve de esperar pelo reconhecimento até que o pensamento abstrato fosse totalmente desenvolvido. As imagens materiais nunca foram tomadas de modo literal por alguém que havia chegado ao estágio em que conseguia entender o que significava "interpretar literalmente".

E agora chegamos à diferença entre "explicar" e "dar satisfação". Ela se mostra de duas maneiras: (1) Quando é dito que uma coisa é entendida "metaforicamente", algumas pessoas concluem disso que é bastante difícil ela ter algum significado. Elas pensam corretamente que Cristo falou de maneira metafórica quando nos disse para carregar a cruz; elas, porém, concluem erroneamente que carregar a cruz não significa nada mais do que levar uma vida respeitável e contribuir, de forma moderada, com instituições de caridade. Pensam sensatamente que o "fogo" do inferno é uma metáfora, e são imprudentes ao concluir que não significa nada mais sério do que remorso. Dizem que a história da Queda em Gênesis não é literal, depois prosseguem a dizer (eu mesmo os ouvi) que ela foi realmente uma queda "para cima" — o que é como dizer que, porque "meu coração está partido" contém uma metáfora, isso significa, portanto, "me sinto muito alegre". Francamente, considero esse modo de interpretação um absurdo. Para mim, as doutrinas cristãs que são "metafóricas" — ou que se tornaram metafóricas com o aumento do pensamento abstrato — significam algo que, depois de termos removido as imagens antigas, é tão "sobrenatural" ou chocante como antes. Elas significam que, além do universo físico ou psicofísico conhecido pelas ciências, existe uma realidade não criada e não submetida a condições que faz com que o universo venha a ser; que essa realidade tem uma estrutura ou constituição positiva que é descrita de modo útil, embora, sem dúvida, não completamente, na doutrina da Trindade; e que essa realidade, em um ponto definido no tempo, entrou no universo que conhecemos ao tornar-se uma de suas próprias criaturas, e aqui produziu efeitos na história que o funcionamento normal do universo natural não produz, e que isso provocou uma mudança em nossas relações com a realidade que não é submetida a condições.

Deve-se notar que nossa expressão sem sabor "entrou no universo" não é nem um pouco menos metafórica do que a mais pitoresca "desceu do Céu". Substituímos apenas uma imagem de movimento horizontal ou não especificado por uma de movimento vertical. E toda tentativa de melhorar a figura de linguagem antiga terá o mesmo resultado. Essas coisas não só não podem ser afirmadas sem metáfora, elas nem sequer podem ser apresentadas para discussão. Podemos tornar nossa fala mais obtusa; não podemos torná-la mais literal.

(2) Essas afirmações dizem respeito a duas coisas: à realidade sobrenatural e não sujeita a condições e acontecimentos no nível histórico que são considerados como resultado de sua irrupção no universo natural. A primeira coisa é indescritível no discurso "literal" e, portanto, interpretamos corretamente tudo o que é dito sobre ela ao fazê-lo de modo metafórico.

Contudo, a segunda coisa está em uma posição totalmente diferente. Acontecimentos no nível histórico são o tipo de coisa sobre a qual podemos falar literalmente. Ao ocorrerem, são percebidos pelos sentidos dos homens. A "explicação" legítima degenera em um "dar satisfações" confuso ou desonesto, assim que começamos a aplicar a esses acontecimentos a interpretação metafórica que aplicamos corretamente às declarações sobre Deus. A afirmação de que Deus tem um Filho nunca teve a intenção de significar que ele é um ser que propaga sua espécie por meio de intercurso sexual; e, portanto, não alteramos o cristianismo ao tornar explícito o fato de que o termo "filiação" não é usada com respeito a Cristo exatamente no mesmo sentido em que é usado com respeito a homens. No entanto, a afirmação de que Jesus transformou água em vinho[17] foi entendida de maneira perfeitamente literal, pois se refere a algo que, ao acontecer, está bem ao alcance de nossos sentidos e de nossa linguagem. Quando

---

[17]*João 2:1-10.

digo: "Meu coração está partido", você sabe muito bem que não estou falando de nada que possa ser verificado em uma necropsia. Já quando digo: "Meu cadarço está partido", se sua própria observação mostra que ele está intacto, estou mentindo ou enganado. Os relatos dos "milagres" na Palestina do primeiro século são ou mentiras, ou lendas ou história. E se todos, ou os mais importantes, dentre eles forem mentiras ou lendas, a reivindicação que o cristianismo vem fazendo nos últimos dois mil anos é simplesmente falsa. Sem dúvida, ele pode conter sentimentos nobres e verdades morais. O mesmo acontece com a mitologia grega; com a nórdica também. Todavia, isso é um assunto bem diferente.

Nada neste capítulo nos ajuda a tomar uma decisão sobre a probabilidade ou a improbabilidade da reivindicação cristã. Apenas removemos um mal-entendido para garantir a essa questão um julgamento justo.

CAPÍTULO 11

Cristianismo e "religião"

"Aqueles que fazem da religião seu deus não terão Deus para sua religião."

Thomas Erskine, de Linlathen[1]

Tendo eliminado as confusões que surgem por ignorar as relações entre pensamento, imaginação e fala, podemos agora voltar ao nosso assunto. Os cristãos dizem que Deus fez milagres. O mundo moderno, mesmo quando acredita em Deus, e mesmo quando vê a impotência da Natureza, não acredita neles. Ele acha que Deus não faria esse tipo de coisa. Temos alguma razão para supor que o mundo moderno esteja certo? Concordo que o tipo de Deus concebido pela "religião"

---

[1]*Thomas Erskine, de Linlathen (1788–1870), teólogo leigo escocês. Ao longo da vida, passou do calvinismo moderado até, por fim, adotar o universalismo. A citação parece ser de seu primeiro livro, *Remarks on the Internal Evidence for the Truth of Revealed Religion* [Observações sobre a evidência interna da verdade da religião revelada], de 1820, em que argumenta que a verdade do cristianismo era demonstrada por sua correspondência com as necessidades morais e espirituais do homem. O livro foi bem recebido por sua ortodoxia.

popular de nossos dias quase certamente não faria milagres. A questão é se há possibilidade de essa religião popular ser verdadeira.

Eu a chamo de "religião" deliberadamente. Nós que defendemos o cristianismo sofremos oposição constante não pela irreligião de nossos ouvintes, mas por sua religião real. Fale sobre beleza, verdade e bondade, ou sobre um Deus que é apenas o princípio interior dessas três, fale sobre uma grande força espiritual que perpassa todas as coisas, sobre uma mente comum da qual somos todas partes, sobre um reservatório de espiritualidade generalizada do qual nós todos podemos fluir, e você terá um interesse amigável. Contudo, a temperatura sobe assim que você menciona um Deus que tem propósitos e realiza ações particulares, que faz uma coisa e não outra, um Deus concreto, que escolhe, que ordena, que proíbe com um caráter determinado. As pessoas ficam envergonhadas ou com raiva. Tal concepção lhes parece primitiva, grosseira e até irreverente. A "religião" popular exclui milagres porque exclui o "Deus vivo" do cristianismo e acredita em um tipo de Deus que obviamente não faria milagres, ou mesmo qualquer outra coisa. Essa "religião" popular pode ser chamada imperfeitamente de panteísmo, e agora devemos examinar suas credenciais.

Em primeiro lugar, ela é geralmente baseada em uma imagem bastante fantasiosa da história da religião. De acordo com essa imagem, o homem começa inventando "espíritos" para explicar fenômenos naturais; e, a princípio, imagina que esses espíritos sejam exatamente como ele. À medida que ele se torna mais esclarecido, eles se tornam menos parecidos com os homens, menos "antropomórficos", como dizem os estudiosos. Seus atributos antropomórficos diminuem um a um — primeiro a forma

Milagres

humana, a seguir as paixões, a personalidade, a vontade, a atividade dos humanos —; no final, todo atributo concreto ou positivo, qualquer que seja. Por fim, resta uma abstração pura: a mente como tal, a espiritualidade como tal. Deus, em lugar de ser uma entidade específica com um caráter real próprio, torna-se simplesmente "o espetáculo todo" analisado de uma maneira particular, ou o ponto teórico em que todas as linhas de aspiração humana se encontrariam se fossem traçadas até o infinito. E como, no ponto de vista moderno, o estágio final de qualquer coisa é o estágio mais refinado e civilizado, essa "religião" é considerada uma crença mais profunda, mais espiritual e mais esclarecida do que o cristianismo.

No entanto, essa história imaginária da religião não é verdadeira. O panteísmo certamente é (como diriam seus defensores) agradável à mente moderna; mas o fato de um sapato ser calçado com facilidade não prova que seja um sapato novo — muito menos que ele manterá os pés secos. O panteísmo é congenial à nossa mente não porque é o estágio final de um lento processo de iluminação, mas porque é quase tão antigo quanto nós. Pode até ser a mais primitiva de todas as religiões, e a *orenda*[2] de uma tribo selvagem pode ser interpretada por alguns como um "espírito onipresente". Ela é imemorial na Índia. Os gregos se elevaram acima dela apenas quando estavam no auge, no pensamento de Platão e Aristóteles; seus sucessores recaíram no grande sistema panteísta dos estoicos. A Europa moderna escapou dele apenas enquanto permaneceu predominantemente cristã; com

---

[2]*Nome dado pelos indígenas iroqueses, dos EUA, à força mística presente em todas as pessoas que as habilita a afetar o mundo e a realizar mudanças na própria vida.

Giordano Bruno e Spinoza[3] voltou a ele. Com Hegel, tornou-se quase a filosofia comum das pessoas altamente instruídas, enquanto o panteísmo mais popular de Wordsworth, Carlyle e Emerson[4] transmitiu a mesma doutrina àqueles em um nível cultural um pouco mais baixo. Longe de ser o refinamento religioso final, o panteísmo é, de fato, a propensão natural permanente da mente humana; o nível ordinário permanente abaixo do qual o homem às vezes afunda, sob a influência do poder sacerdotal e da superstição, mas acima do qual seus próprios esforços não podem nunca elevá-lo por muito tempo. O platonismo e o judaísmo, e o cristianismo (que incorporou ambos), provaram ser as únicas coisas capazes de resistir a ele. É a atitude em que a mente humana cai de modo automático quando deixada por si mesma. Não é à toa que o consideramos congenial. Se "religião" significa simplesmente o que o homem diz com respeito a Deus, e não o que Deus faz com respeito ao homem, então, o panteísmo quase é religião. E "religião", nesse sentido, tem, em longo prazo, apenas um oponente realmente formidável: o

---

[3]*Giordano Bruno (1548–1600), filósofo, matemático e teólogo italiano. Defendia o heliocentrismo e questionava a natureza divina de Jesus Cristo. Baruque (ou Benedito) de Spinoza (1632–1677), pensador racionalista holandês, considerava os textos bíblicos apenas como símbolos e propunha que os termos "Deus" e "Natureza" fossem usados de modo intercambiável, denotando a totalidade de tudo o que existe.

[4]*Georg Wilhelm Friedrich Hegel (1770–1831), filósofo alemão, entendia que todo o universo, incluindo a história, são um único organismo em constante mudança. William Wordsworth (1770–1850), o maior poeta romântico inglês. Thomas Carlyle (1795–1881), historiador e ensaísta escocês. Ralph Waldo Emerson (1803–1882), pensador, poeta e filósofo americano. Em uma viagem à Europa, conheceu Wordsworth e Carlyle, com o que deu início à própria filosofia idealista, que veio a ser conhecida como transcendentalismo.

Milagres

cristianismo.⁵ A filosofia moderna rejeitou Hegel, e a ciência moderna começou sem mostrar preconceitos a favor da religião; mas ambas se mostraram impotentes para conter o impulso humano em direção ao panteísmo. Hoje ele é quase tão forte quanto na Índia antiga ou na Roma antiga. A teosofia e a adoração da força vital⁶ são formas dele; mesmo a adoração alemã de um espírito racial é apenas o panteísmo truncado ou reduzido para se adequar aos bárbaros. No entanto, por uma estranha ironia, cada nova recaída nessa "religião" imemorial é saudada como a última palavra em novidade e emancipação.

Essa disposição nativa da mente pode ser paralela a um campo de pensamento bastante diferente. Os homens acreditavam em átomos séculos antes de ter qualquer evidência experimental de sua existência. Ao que parece, era a coisa

---

⁵Portanto, se um ministro da Educação professa valorizar a religião e, ao mesmo tempo, adota medidas para suprimir o cristianismo, não se segue necessariamente que ele seja um hipócrita ou mesmo (no sentido comum e agora secular da palavra) um tolo. Ele pode sinceramente desejar mais "religião" e ver, com razão, que a supressão do cristianismo é uma preliminar necessária ao seu propósito. [* Possível referência a Ellen Wilkinson (1891–1947), política inglesa, de perfil socialista, que fez parte do governo de coalizão da Segunda Guerra Mundial e foi Ministra da Educação de 1945 a 1947.]

⁶*A teosofia (sabedoria divina, em grego) foi fundada pelos filósofos gregos Amônio Saccas e Plotino, seu discípulo, no terceiro século d.C. Sua versão moderna, estabelecida por Helena Blavatsky (1831–1891), médium ucraniana, "defende uma teoria de Deus ou das obras de Deus cuja base não é uma revelação, mas uma inspiração própria". É uma filosofia pluralista e politeísta. Blavatsky, ao fundar a Sociedade Teosófica, tentou, inicialmente, trazer o hinduísmo para o Ocidente. Força vital (ou, na forma francesa, *élan vital*) é termo criado por Henri Bergson (1859–1941), filósofo e diplomata francês, para referir-se ao impulso original de onde provém a vida, presente em todos os organismos e responsável pela evolução.

natural a fazer. E o tipo de átomo em que acreditamos naturalmente são pequenas pelotas duras — assim como as substâncias duras que encontramos na experiência, mas pequenas demais para serem vistas. A mente chega a essa concepção por uma analogia simples a partir de grãos de areia ou de sal. Isso explica uma série de fenômenos, e nos sentimos à vontade com átomos desse tipo — podemos imaginá-los.

A crença teria durado para sempre se a ciência posterior não fosse tão inclinada a criar problemas a ponto de descobrir como os átomos *realmente* são. No momento em que isso acontece, todo o nosso conforto mental, toda a plausibilidade e obviedade imediata da velha teoria atômica são destruídas. Os átomos reais vêm a ser bastante estranhos ao nosso modo natural de pensamento. Eles nem são feitos de "substância" ou de "matéria" dura (como a imaginação entende a "matéria"): não são simples, mas têm uma estrutura; não são todos iguais e não podem ser registrados em imagem. A velha teoria atômica é na física o que o panteísmo é na religião: a suposição normal e instintiva da mente humana, não totalmente errada, mas a qual precisa de correção. A teologia cristã e a física quântica são, em comparação com a primeira suposição, difíceis, complexas, secas e repulsivas. O primeiro choque da natureza real do objeto, irrompendo em nossos sonhos espontâneos do que esse objeto deveria ser, sempre tem essas características. Você não deve esperar que Schrödinger seja tão plausível quanto Demócrito;[7] ele sabe demais. Não se deve esperar

---

[7]*Erwin Rudolf Josef Alexander Schrödinger (1887–1961), físico teórico austríaco, pioneiro no estudo da física quântica. Era ateu. Demócrito de Abdera (c. 460 a.C.–c. 370 a.C.), filósofo materialista grego que sistematizou o pensamento sobre a Teoria Atômica.

que Atanásio seja tão plausível quanto o sr. Bernard Shaw:[8] ele também sabe demais.

O verdadeiro estado dessa questão é frequentemente mal compreendido porque as pessoas comparam um conhecimento adulto do panteísmo com um conhecimento do cristianismo que adquiriram na infância. Assim, têm a impressão de que o cristianismo dá o relato "óbvio" de Deus, que é fácil demais para ser verdade, enquanto o panteísmo oferece algo sublime e misterioso. Na realidade, é o contrário. A aparente profundidade do panteísmo escassamente oculta uma massa de pensamento pictórico espontâneo e deve sua plausibilidade a esse fato. Panteístas e cristãos concordam que Deus está presente em todos os lugares. Os panteístas concluem que ele está "difuso" ou "oculto" em todas as coisas e, portanto, é um meio universal e não uma entidade concreta, porque a mente deles é, de fato, dominada pela imagem de um gás ou fluido ou do próprio espaço. O cristão, por outro lado, exclui de maneira firme essas imagens ao dizer que Deus está totalmente presente em todos os pontos do espaço e do tempo, e *localmente* presente em nenhum deles.

De novo, o panteísta e o cristão concordam que todos somos dependentes de Deus e intimamente relacionados a ele. Contudo, o cristão define essa relação em termos de Criador e criatura, enquanto o panteísta (pelo menos do tipo popular) diz que somos "partes" dele, ou que estamos contidos Nele. Uma vez mais, aparece a imagem de um vasto e extenso algo

---

[8]*George Bernard Shaw (1856–1950), dramaturgo, romancista e contista irlandês, propôs a teoria e o conceito de uma força propulsora invisível, vetor das mudanças no homem, que não era possível à ciência explicar. Essa força, na evolução criadora de Shaw, seria um "ser supremo" que dirige a vida do homem.

que pode ser dividido em áreas. Por causa dessa imagem fatal, o panteísmo conclui que Deus deve estar igualmente presente no que chamamos de mal e no que chamamos de bem e, portanto, é indiferente a ambos (o éter permeia a lama e o mármore imparcialmente). O cristão responde a isso de modo muito simples: Deus está presente de muitos modos diferentes: não está presente na matéria do mesmo modo que está presente no homem, não está presente em todos os homens como está em alguns, não está presente em nenhum outro homem como em Jesus.

Panteísta e cristão também concordam que Deus é "sobre-pessoal". O cristão quer dizer com isso que Deus tem uma estrutura positiva que jamais poderíamos imaginar antecipadamente, assim como o conhecimento de quadrados não nos permitiria imaginar um cubo. Ele contém "pessoas" (três delas) embora permaneça sendo um Deus, como um cubo contém seis quadrados embora permaneça um corpo sólido. Não podemos compreender essa estrutura da mesma forma que os planolandeses[9] não poderiam compreender um cubo, mas podemos pelo menos compreender nossa incompreensão e ver que, se houver algo além da personalidade, isso *deve* ser incompreensível dessa maneira. O panteísta, por outro lado, embora possa dizer "sobre-pessoal", na verdade concebe

---

[9]*Personagem de *Planolândia — Um romance de muitas dimensões*, de Edwin Abott Abott (1838–1926), professor e teólogo inglês, em que figuras geométricas exclusivamente bidimensionais são dotadas de consciência. Em outra de suas obras, Lewis amplia o exemplo: "Os planolandeses, tentando imaginar um cubo, ou imaginariam os seis quadrados combinados, e assim destruiriam sua distinção, ou então os imaginariam lado a lado, e assim destruiriam a unidade. Nossas dificuldades com respeito à Trindade são do mesmo tipo." (*Reflexões cristãs* [Rio de Janeiro: Thomas Nelson Brasil, 2019, p. 137].)

Milagres

Deus em termos do que é sub-pessoal — como se os planolandeses pensassem na existência de um cubo, mas em *menos* dimensões que um quadrado.

A todo momento, o cristianismo precisa corrigir as expectativas naturais do panteísta e oferecer algo mais difícil, assim como Schrödinger precisa corrigir Demócrito. A todo momento ele precisa multiplicar distinções e descartar falsas analogias. Ele precisa substituir as generalidades sem forma nas quais o panteísmo se sente à vontade pelo delineamento de algo que tenha um caráter positivo, concreto e altamente articulado. De fato, depois que a discussão está em andamento há algum tempo, o panteísta está propenso a mudar de posição e, onde antes ele nos acusava de ingenuidade infantil, agora nos culpa pela complexidade pedante de nossos "Cristos frios e Trindades emaranhadas".[10] E podemos nutrir certa simpatia por ele. O cristianismo, confrontado com a "religião" popular, é continuamente causador de problemas. Às grandes declarações bem-intencionadas de "religião", ele se vê obrigado a responder repetidas vezes: "Bem, não é bem assim" ou: "Eu dificilmente colocaria a coisa nesses termos". É claro que criar problemas assim não prova que ele é verdade; mas, se for verdade, teria essa capacidade de criar problemas. O verdadeiro músico é igualmente problemático para um homem que deseja se entregar a uma "apreciação musical" sem refinamento; o verdadeiro historiador é igualmente um incômodo quando queremos romance sobre "os velhos tempos" ou "os antigos gregos e romanos". A natureza averiguada

---

[10]*Parte do último verso de um poema de Joseph Rudyard Kipling (1865–1936), escritor e poeta britânico. O poema abre o primeiro conto, "Lispeth", de seu livro *Plain Tales from the Hills* [Contos planos que vêm das colinas], de 1888, sua primeira coleção de histórias breves.

de qualquer coisa real é sempre um incômodo para nossas fantasias naturais — um intruso infame, pedante, que corta em pedaços a lógica de uma conversa que estava indo muitíssimo bem sem ela.

Contudo, a "religião" também afirma basear-se na experiência. As experiências dos místicos (essa classe mal definida, mas popular) são defendidas para indicar que Deus é o Deus da "religião" e não do cristianismo; que ele — ou aquilo — não é um Ser concreto, mas um "ser genérico" sobre o qual nada pode ser verdadeiramente afirmado. Para tudo o que tentamos dizer sobre ele, os místicos tendem a responder: "Não é assim". O que todas essas negativas dos místicos realmente significam eu considerarei em um momento; mas devo primeiro salientar a razão pela qual me parece impossível que elas sejam verdadeiras no sentido popularmente entendido.

Deve-se concordar que, tenham vindo de onde quer que seja, coisas concretas, individuais e determinadas já existem: coisas como flamingos, generais alemães, amantes, sanduíches, abacaxis, cometas e cangurus. Esses não são meros princípios ou generalidades ou teoremas, mas coisas — fatos — reais, existências resistentes. Pode-se até chamá-las de existências *opacas*, no sentido de que cada uma contém algo que nossa inteligência não pode digerir completamente. Na medida em que ilustram leis gerais, elas podem ser digeridas, mas nunca são meras ilustrações. Acima e além disso, existe em cada uma delas o fato bruto "opaco" da existência, o fato de que ela está realmente lá e é ela mesma. Ora, esse fato opaco, essa concretude, não é nem um pouco explicado pelas leis da Natureza ou mesmo pelas leis do pensamento. Toda lei pode ser reduzida à forma "Se A, então B". As leis nos dão apenas um universo de "Ses" e "Entãos", não esse universo que existe de verdade. O que sabemos por meio de leis e princípios gerais

Milagres

é uma série de ligações. Mas, para que exista um universo real, as ligações devem ter algo para ligar; uma torrente de realidades opacas deve alimentar o padrão das leis. Se Deus criou o mundo, ele é precisamente a fonte dessa torrente, e só esse fato nos dá nossos mais verdadeiros princípios *sobre* os quais sabemos o que é verdade. Se Deus é, no entanto, a fonte última de todas as coisas e de todos os acontecimentos concretos e individuais, então, o próprio Deus deve ser concreto e individual no mais alto grau. A menos que a origem de todas as outras coisas fosse ela própria concreta e individual, nada mais poderia ser assim, pois não há meios concebíveis pelos quais o que é abstrato ou geral possa produzir a realidade concreta. A contabilidade, continuada por toda a eternidade, nunca poderia produzir um centavo sequer. Métrica, por si só, nunca poderia produzir um poema. A contabilidade precisa de outra coisa (dinheiro real colocado na conta) e a métrica precisa de algo mais (palavras reais, alimentadas por um poeta) antes que qualquer renda ou poema possa existir. Se alguma coisa existe, a Coisa Original não deve ser um princípio nem uma generalidade, muito menos um "ideal" ou um "valor", mas sim um fato totalmente concreto.

Provavelmente, nenhuma pessoa que pensa negaria, usando tantas palavras, que Deus é concreto e individual. Contudo, nem todas as pessoas que pensam, e certamente nem todas as que acreditam em "religião", mantêm sempre essa verdade na mente. Devemos tomar cuidado, como diz o professor Whitehead, de "lhe fazer elogios metafísicos" mal avaliados.[11] Dizemos que Deus é "infinito". No sentido de

---

[11]*Alfred North Whitehead (1861–1947), matemático e filósofo inglês. A citação é de seu livro *A ciência e o mundo moderno*, trad. Hermann Herbert Watzlawick (São Paulo: Paulus, 2006, p. 222).

que seu conhecimento e seu poder se estendem não a algumas coisas, mas a todas, isso é verdade. Mas, se ao usar a palavra "infinito" nos encorajamos a pensar nele como um "tudo" sem forma, sobre o qual nada em particular e tudo em geral é verdadeiro, seria melhor abandonar completamente essa palavra. Ousemos dizer que Deus é uma Coisa particular. Em dado momento ele era a única Coisa, mas ele é criativo. Ele fez outras coisas virem a ser. Ele não é essas outras coisas. Ele não é um "ser universal"; se fosse, não haveria criaturas, pois uma generalidade não pode fazer nada. Ele é um "ser absoluto" — ou melhor, *o* Ser Absoluto — no sentido de que somente ele existe por si mesmo. Contudo, há coisas que Deus não é. Nesse sentido, ele tem um determinado caráter. Assim, ele é justo, não amoral; criativo, não inerte. Nesse ponto, os escritos hebraicos observam um equilíbrio admirável. Em certa ocasião, Deus diz simplesmente "Eu Sou", proclamando o mistério da autoexistência. No entanto, em um sem-número de vezes, ele diz: "Eu sou o Senhor" — eu, o Fato último, tenho *esse* determinado caráter, e não *aquele*. E os homens são exortados a "conhecer o Senhor",[12] a descobrir e experimentar esse caráter em particular.

O erro que estou aqui tentando corrigir é um dos erros mais sinceros e respeitáveis do mundo; tenho simpatia suficiente por ele para me sentir chocado com a linguagem que fui levado a usar ao afirmar o ponto de vista oposto, que acredito ser o verdadeiro. Dizer que Deus "é uma Coisa particular" parece obliterar a diferença imensurável não apenas entre o que ele é e o que são todas as outras coisas, mas também entre o próprio modo de sua existência e o delas. Devo

---

[12]*Êxodo 3:14; 6:2ss; 5:2; Oseias 6:3.

imediatamente restabelecer o equilíbrio insistindo que coisas derivadas, de átomos a arcanjos, dificilmente atingem a total existência em comparação com seu Criador. O princípio de existência delas não está nelas mesmas. Pode-se distinguir *o que* elas são com base no fato *de que* elas são. A definição delas pode ser entendida e uma ideia clara sobre elas, formada, mesmo sem saber *se* são. A existência é uma adição "opaca" à ideia delas; mas com Deus não é assim: se entendemos completamente o *que* é Deus, devemos ver que não há dúvida sobre a probabilidade de ele *ser*. Sempre teria sido impossível que ele não existisse. Ele é o centro opaco de todas as existências, aquilo que é simplesmente e inteiramente a fonte da realidade. E, no entanto, agora que ele criou, há um sentido em que devemos dizer que ele é uma Coisa particular, e até mesmo uma Coisa entre outras. Dizer isso não é diminuir a imensurável diferença entre ele e elas. Pelo contrário, é reconhecer nele uma perfeição positiva que o panteísmo obscureceu: a perfeição de ser criativo. Ele é tão completamente cheio de existência que pode doar existência, pode fazer com que as coisas sejam, e ser realmente algo diferente de Si Mesmo, pode tornar falso dizer que ele é tudo.

É claro que nunca houve um tempo em que nada existia; caso contrário, nada existiria agora. Contudo, existir significa ser Algo positivo, ter (metaforicamente) certa forma ou estrutura, ser isto e não aquilo. A Coisa que sempre existiu, ou seja, Deus, sempre teve seu próprio caráter positivo. Por toda a eternidade, certas declarações sobre ele teriam sido verdadeiras e outras falsas. E, derivado do mero fato de nossa própria existência e da existência da natureza, já sabemos, até certo ponto, quais são quais. Sabemos que ele inventa, age, cria. Por conseguinte, não há como supor com antecedência que ele não faz milagres.

Por que, então, os místicos falam dele como o fazem, e por que muitas pessoas se preparam para, antecipadamente, sustentar que, não importa o que Deus seja, ele não é o Deus concreto, vivo, desejoso e atuante da teologia cristã? Eu acho que o motivo é o seguinte. Imaginemos um caramujo místico, um sábio entre os caramujos, o qual (arrebatado em uma visão) tem um vislumbre de como é o Homem. Ao relatar isso a seus discípulos, que têm alguma visão (embora menor que a dele), ele terá de destacar muitos pontos negativos. Ele terá de dizer-lhes que o Homem não tem concha, não está agarrado a uma rocha, não está cercado por água. E seus discípulos, tendo uma pequena visão própria para ajudá-los, captam alguma ideia do Homem. Contudo, existem também caramujos eruditos, caramujos que escrevem histórias de filosofia e dão palestras sobre religião comparada, os quais nunca tiveram nenhuma visão. O que eles captam das palavras do caramujo profético são simples e exclusivamente os pontos negativos. A partir desses, não corrigidos por percepção positiva alguma, eles constroem uma imagem do Homem como uma espécie de geleia amorfa (ele não tem concha), que não existe em nenhum lugar em particular (ele não está agarrado a uma rocha) e nunca se alimenta (não há água que leve alimento até ele). E, tendo uma reverência tradicional pelo Homem, concluem que ser uma geleia faminta em um vazio adimensional é o modo supremo de existência, e rejeitam, por considerar superstição materialista e grosseira, qualquer doutrina que atribuísse ao Homem forma, estrutura e órgãos definidos.

Nossa própria situação é muito parecida com a dos caramujos eruditos. Os grandes profetas e santos têm uma intuição de Deus que é positiva e concreta no mais alto grau. Porque, apenas tocando as orlas do seu ser, eles viram que

Milagres

ele é plenitude de vida, energia e alegria; portanto (e por nenhuma outra razão), eles têm de declarar que ele transcende as limitações que chamamos de personalidade, paixão, mudança, materialidade e afins. A qualidade positiva nele, que repele essas limitações, é o único fundamento daqueles homens para todos os pontos negativos. Mas, quando chegamos coxeando e tentamos construir uma religião intelectual ou "iluminada", assumimos esses negativos (infinito, imaterial, impassível, imutável etc.) e os usamos sem a verificação de intuição positiva alguma. A cada passo, precisamos extirpar de nossa ideia de Deus algum atributo humano, mas a única razão real para extirpar o atributo humano é abrir espaço para colocar algum atributo divino positivo. Na linguagem do apóstolo Paulo, o objetivo de todo esse despir não é que nossa ideia de Deus chegue à nudez, mas que ela seja revestida.[13] Infelizmente, porém, não temos meios de fazer esse revestimento. Quando removemos de nossa ideia de Deus algumas características humanas insignificantes, nós (como investigadores meramente eruditos ou inteligentes) não temos recursos para suprir esse atributo ofuscantemente real e concreto da Deidade a que deve substituir. Assim, a cada passo do processo de refinamento, nossa ideia de Deus contém menos, e as imagens fatais entram (um mar sem fim e silencioso, um céu vazio além de todas as estrelas, uma cúpula de brilho branco) e chegamos, por fim, ao mero zero e adoramos uma não existência. E o entendimento, deixado por si só, dificilmente poderá nos ajudar a seguir esse caminho. É por isso que a afirmação cristã de que somente aquele que faz a vontade do Pai conhecerá a verdadeira

---

[13]*Referência a 2Coríntios 5:2-4.

doutrina é filosoficamente acurada.[14] A imaginação pode ajudar um pouco; mas, na vida moral, e (ainda mais) na vida devocional, tocamos em algo concreto que começará imediatamente a corrigir o crescente vazio de nossa ideia de Deus. Um momento, mesmo de débil contrição ou de indistinto agradecimento, pelo menos em algum grau, nos afastará do abismo da abstração. É a própria Razão que nos ensina a não confiar na Razão apenas nesse assunto, pois a Razão sabe que ela não pode trabalhar sem materiais. Quando fica claro que você não consegue descobrir, apenas por raciocinar, se o gato está no armário das toalhas e dos lençóis, é a própria Razão quem sussurra: "Vá e olhe. Este não é o meu trabalho: é uma questão para os sentidos". O mesmo se dá aqui. Os materiais para corrigir nossa concepção abstrata de Deus não podem ser fornecidos pela Razão: ela será a primeira a dizer-lhe que vá e experimente — "Provem e vejam!"[15] Pois é claro que ela já indicou que a posição atual que você adotou é absurda.

Enquanto permanecermos Caramujos Eruditos, estaremos esquecendo que, se ninguém tivesse visto mais de Deus do que nós, não teríamos razão alguma para acreditar que ele é imaterial, imutável, impassível e tudo o mais. Mesmo esse conhecimento negativo que nos parece tão esclarecido é apenas uma relíquia que resta do conhecimento positivo de homens melhores — apenas o padrão que aquela onda celestial deixou na areia quando se retirou.

"Um Espírito e uma Visão", disse Blake, "não são, como a filosofia moderna supõe, um vapor nebuloso ou um nada. Eles são organizados e minuciosamente articulados além de

---

[14]*João 7:17.
[15]*Referência a Salmos 34:8a: "Provem, e vejam como o Senhor é bom."

tudo o que a natureza mortal e perecível pode produzir".[16] Ele está falando apenas de como desenhar as aparições que podem muito bem ter sido ilusórias, mas suas palavras sugerem uma verdade no nível metafísico também. Deus é o Fato básico, ou Realidade, a fonte de todos os outros fatos. Devemos nos esforçar ao máximo, portanto, para não pensar nele como uma generalidade inexpressiva. Se ele existe, ele é a coisa mais concreta que existe, a mais individual, "organizada e minuciosamente articulada". Ele é indizível, não por ser indefinido, mas por ser definido demais para a imprecisão inevitável da linguagem. As palavras "incorpóreo" e "impessoal" são enganosas, porque sugerem que ele carece de alguma realidade que possuímos. Seria mais seguro descrevê-lo como "trans-corporal", "trans-pessoal". Corpo e personalidade, como os conhecemos, são os negativos reais: eles são o que resta do ser positivo quando este é suficientemente diluído para aparecer em formas temporais ou finitas. Mesmo nossa sexualidade deve ser vista como a transposição para um padrão menor daquela alegria criativa que nele é incessante e irresistível. Gramaticalmente, as coisas que dizemos sobre ele são "metafóricas", mas, em um sentido mais profundo, nossas energias físicas e psíquicas é que são meras "metáforas" da Vida real que é Deus. Filiação Divina é,

---

[16]*A Descriptive Catalogue,* Number IV. [* William Blake (1757–1827), poeta e artista plástico inglês que, segundo afirmava, desde os quatro anos, via anjos, com quem conversava, os quais foram tema de muitas de suas obras. No decorrer da vida, essas visões foram também de outros seres, incluindo demônios. Blake escreveu *A Descriptive Catalogue of Pictures, Poetical and Historical Inventions* [Um catálogo descritivo de imagens, invenções poéticas e históricas] (1809) para uma exposição, na loja de seu irmão, de dezesseis de suas pinturas, contendo também descrição de cada uma delas.]

Cristianismo e "religião"

por assim dizer, o sólido do qual a filiação biológica é meramente uma representação diagramática no plano.

E aqui o assunto das imagens, que cruzou nosso caminho no último capítulo, pode ser visto sob uma nova luz. Pois é apenas o reconhecimento da realidade positiva e concreta de Deus que a imagem religiosa preserva. A imagem mais crua de Javé, no Antigo Testamento, com trovões e relâmpagos em meio a fumaça densa, fazendo montanhas pularem como carneiros, ameaçando, prometendo, suplicando e até mudando de ideia,[17] transmite o sentimento de Deidade *viva* que evapora em pensamentos abstratos. Até imagens subcristãs — mesmo um ídolo hindu com cem mãos[18] — contêm *algo* que a mera "religião" em nossos dias deixou de fora. Nós rejeitamos isso com razão, pois, por si só, encorajaria as superstições mais obscuras: a adoração ao mero poder. Talvez possamos rejeitar, com razão, grande parte das imagens do Antigo Testamento, mas devemos esclarecer por que o fazemos: não porque as imagens são muito fortes, mas porque são muito fracas. A realidade espiritual suprema não é mais vaga, mais inerte, mais transparente que as imagens, e sim mais positiva, mais dinâmica, mais opaca. A confusão entre Espírito e alma (ou "fantasma") causou muitos danos. Fantasmas devem ser imaginados, se é que devemos imaginá-los, como indistintos e tênues, pois fantasmas são homens pela metade: um elemento abstraído de uma criatura que deveria ter carne. Contudo, o Espírito, se for imaginado, deve ser imaginado da maneira oposta. Nem Deus nem mesmo os deuses são "indistintos" na imaginação

---

[17]*Ver, por exemplo, Êxodo 19:16,18; 24:17; 32:10-14; Salmos 114:4-6.
[18]*Talvez seja uma referência ao Senhor da compaixão (Tchenrezig [*Avalokiteshvara*, em sânscrito]), com seus mil braços e um olho em cada palma da mão, a deidade masculina mais popular do budismo tibetano.

tradicional: mesmo os mortos humanos, quando glorificados em Cristo, deixam de ser "fantasmas" e se tornam "santos". A diferença de atmosfera que mesmo agora envolve as palavras "vi um fantasma" e as palavras "vi um santo" — todo o palor e a insubstancialidade de um, todo o ouro e o azul do outro — contém mais sabedoria do que bibliotecas inteiras de "religião". Se devemos ter uma imagem mental para simbolizar o Espírito, devemos representá-la como algo *mais pesado* que a matéria.

E, se dissermos que estamos rejeitando as imagens antigas para fazer mais justiça aos atributos morais de Deus, devemos novamente ter cuidado com o que de fato queremos dizer. Quando desejamos aprender sobre o amor e a bondade de Deus por *analogia* — imaginando paralelos com eles no domínio das relações humanas —, naturalmente nos voltamos para as parábolas de Cristo. Contudo, quando tentamos conceber a realidade como ela deve ser em si mesma, devemos ter cuidado para não interpretar "atributos morais" em termos de mera consciência ou benevolência abstrata. O erro acontece com frequência porque negamos (corretamente) que Deus tem paixões; e, para nós, um amor que não é apaixonado significa um amor que é algo menos que amor. Mas a razão pela qual Deus não tem paixões é que paixões implicam passividade e intermissão. A paixão do amor é algo que acontece conosco, como "se molhar" acontece com um corpo, e Deus é isento dessa "paixão" da mesma maneira que a água é isenta de "se molhar". Ele não pode ser afetado pelo amor, porque ele *é* amor. Imaginar que o amor seja algo menos torrencial ou menos nítido do que nossas "paixões" temporárias e derivadas é uma fantasia muito desastrosa.

Uma vez mais, podemos encontrar uma violência em algumas das imagens tradicionais que tendem a obscurecer a imutabilidade de Deus, a paz, que quase todos os que se aproximam dele relataram — "o murmúrio de uma brisa suave".[19] E é nesse ponto, eu acho, que as imagens pré-cristãs são menos sugestivas. No entanto, mesmo nesse ponto, existe o perigo de que a imagem semiconsciente de alguma coisa imensa em repouso — um oceano claro e calmo, uma cúpula de "alvo esplendor" — traga consigo ideias de inércia ou vacuidade. A quietude em que os místicos se aproximam dele é intencional e alerta — isso está no extremo oposto de sono ou devaneio. Eles estão se tornando como ele. Silêncios no mundo físico ocorrem em lugares vazios, mas a Paz suprema é silenciosa através da própria densidade da vida. O dizer é absorvido pelo ser. Não há movimento porque sua ação (que é ele mesmo) é atemporal. Você pode, se quiser, chamá-la de movimento a uma velocidade infinita, a mesma coisa que repouso, mas alcançada por uma maneira de entendimento diferente — talvez menos enganosa.

Os homens relutam em passar da noção de uma divindade abstrata e negativa para o Deus vivo. Eu não me espanto. Aqui reside a mais profunda raiz do panteísmo e da objeção às imagens tradicionais. Elas não são odiadas, no fundo, porque o imaginam como homem, mas porque o imaginam como rei, ou mesmo como guerreiro. O deus do panteísta não faz nada, não exige nada. Ele está lá se você o desejar, como um livro em uma prateleira. Ele não o perseguirá. Não há perigo de que, a qualquer momento, o céu e a terra fujam ao seu olhar. Se ele fosse a verdade, poderíamos realmente dizer que todas as imagens cristãs da realeza foram um acidente histórico do qual nossa religião deve ser purificada. É com um choque que descobrimos que elas são indispensáveis. Você já teve um choque como esse antes, em ligação com assuntos menores: quando

---

[19]*1Reis 19:12.

Milagres

a linha de pesca puxou sua mão, quando algo respirou a seu lado na escuridão. O mesmo se dá aqui: o choque ocorre no momento exato em que a emoção da *vida* nos é comunicada ao longo desses indícios que temos seguido. É sempre chocante encontrar vida onde pensávamos estar sozinhos. "Tenha cuidado!", nós clamamos; "está *vivo*". E, portanto, esse é o ponto exato em que tantos recuam — eu teria feito o mesmo, se pudesse — e não seguem mais com o cristianismo. Um "Deus impessoal" — muito bem! Um Deus subjetivo de beleza, verdade e bondade, dentro de nossa cabeça — melhor ainda! Uma força vital amorfa movendo-se através de nós, um vasto poder que podemos explorar — o melhor de tudo! Todavia o próprio Deus, vivo, puxando a outra extremidade da corda, talvez se aproximando a uma velocidade infinita, o caçador, rei, marido — isso é outra questão. Chega um momento em que as crianças que brincam de assaltante silenciam repentinamente: "Eram passos *de verdade* no corredor?" Chega um momento em que as pessoas que se interessam por religião ("a busca do homem por Deus!") repentinamente se afastam. Supomos tê-lo realmente encontrado? Nós nunca quisemos chegar a *isso*! Pior ainda: supomos que ele nos encontrou?

Então, isso é uma espécie de Rubicão.[20] Uma pessoa o atravessa; outra, não; mas, se alguém o faz, não há como se proteger de milagres. Um milagre pode estar em *qualquer coisa*.

---

[20]*Rio na Itália que demarcava a fronteira entre a província da Gália Cisalpina e o território de Roma, o qual era proibido cruzar sem expressa autorização. Em 11 de janeiro de 49 a.C., o general Júlio César decidiu atravessá-lo, afrontando o Senado romano, para conquistar Roma, vencendo Pompeu, seu adversário. Ao decidir cruzar aquele rio, o general teria proferido uma frase que foi traduzida para o latim: "*Alea jacta est*" ("A sorte está lançada"). Assim, "atravessar o Rubicão" passou a denotar uma decisão tomada, que implica riscos, da qual não há volta.

CAPÍTULO 12

A propriedade dos milagres

"No mesmo momento em que explica as Regras, o Princípio as substitui."
Seeley, Ecce Homo, cap. XVI.[1]

Se o Fato último não é uma abstração, mas o Deus vivo, opaco pela própria plenitude de sua realidade ofuscante, então, ele pode fazer coisas. Ele pode realizar milagres. Mas será que ele os faria? Muitos indivíduos de sincera piedade consideram que ele não os faria. Eles acham que isso é indigno Dele. São tiranos mesquinhos e caprichosos que violam as próprias leis: reis bons e sábios obedecem a elas. Somente um trabalhador incompetente realizará um trabalho que precisa de

---

[1]*Sir John Robert Seeley (1834–1895), historiador e ensaísta inglês. *Ecce Homo: A Survey in the Life and Work of Jesus Christ* [*Ecce Homo*: Uma visão geral sobre a vida e a obra de Jesus Cristo] seu primeiro livro, publicado anonimamente em 1865, enfatizava principalmente o caráter moral de Jesus, excluindo discussões teológicas. No original (5. ed., p. 184), os termos "princípio" e "regras" têm inicial minúscula, mas Lewis os cita com maiúscula. E, por algum motivo desconhecido, Lewis grafa o sobrenome do autor com inicial minúscula.

Milagres

interferência. E as pessoas que pensam dessa maneira não estão satisfeitas com a garantia dada no oitavo capítulo de que os milagres, de fato, violam as leis da Natureza. Isso pode ser inegável, mas ainda será considerado (e com justiça) que os milagres interrompem a ordenada marcha dos acontecimentos, o constante desenvolvimento da Natureza de acordo com seu próprio gênio ou caráter inerente. Essa marcha regular parece, para os críticos que tenho em mente, mais impressionante do que qualquer milagre. Olhando para cima (como Lúcifer no soneto de Meredith),[2] para o céu noturno, eles sentem quase de modo ímpio supor que Deus, às vezes, desdiz o que ele certa vez disse com tanta magnificência. Esse sentimento nasce de fontes profundas e nobres da mente e deve sempre ser tratado com respeito. No entanto, acredito, ele está baseado em um erro.

Quando os alunos começam a aprender a fazer versos em latim[3] na escola, é-lhes adequadamente proibido que os versos tenham o que é tecnicamente chamado de "espondeu no quinto pé"[4]. É uma boa regra para os meninos, porque o hexâmetro[5] normal não tem um espondeu ali: se os meninos

---

[2]*George Meredith (1828–1909), novelista e poeta inglês. O poema citado é "Lucifer in Starlight" [Lúcifer à luz das estrelas].
[3]*À época de Lewis, o latim ainda era ensinado nas escolas, especialmente nas chamadas Escolas de Gramática, surgidas na era medieval para o ensino desse idioma. O latim foi preponderante na Grã-Bretanha por cerca de 350 anos, por causa da invasão romana e, a seguir, pela chegada dos povos anglo-saxões (c. 449), que haviam tido contato com os romanos no continente, trazendo, assim, vocábulos latinos para o inglês.
[4]*Pé é o conjunto de duas a quatro sílabas que serve para medir o verso grego e o latino. Espondeu é o pé métrico de verso (grego ou latino) composto de duas sílabas longas correspondendo a quatro tempos.
[5]*Verso grego ou latino de seis pés, sendo os quatro primeiros dátilos ou espondeus, o quinto dátilo e o sexto espondeu. O pé dátilo é formado por uma sílaba longa e duas breves.

A propriedade dos milagres

tivessem permissão para usar essa forma anormal, eles o fariam constantemente por conveniência e talvez nunca colocassem a música típica do hexâmetro na cabeça. Mas, quando os meninos vão ler Virgílio, descobrem que Virgílio faz exatamente o que lhes foi proibido — não com muita frequência, mas tampouco muito raramente. Do mesmo modo, jovens que acabaram de aprender a escrever versos rimados em inglês podem ficar chocados ao encontrar rimas "ruins" (ou seja, meias rimas) nos grandes poetas. Mesmo em carpintaria, no ato de dirigir um carro ou na cirurgia, espero, há "licenças" — maneiras anormais de fazer as coisas — que o mestre usará de maneira segura e criteriosa, mas que acharia desaconselhável ensinar a seus alunos.

Bem, muitas vezes se descobre que o iniciante, que acabou de dominar as regras formais restritas, é excessivamente meticuloso e pedante com relação a elas. E o mero crítico, que nunca vai começar a usá-las, pode ser ainda mais pedante. Os críticos clássicos ficaram chocados com a "irregularidade" ou as "licenças" de Shakespeare. Um estudante estúpido pode pensar que os hexâmetros anormais de Virgílio, ou as meias rimas dos poetas ingleses, devam-se à incompetência. Na realidade, é claro, todos eles estão lá com um propósito e quebram a regularidade superficial da métrica em obediência a uma lei mais alta e mais sutil, assim como as irregularidades em *O conto do inverno*[6] não prejudicam, mas personificam e aperfeiçoam, a unidade interior de seu espírito.

Em outras palavras, existem regras por trás das regras e uma unidade que é mais profunda que a uniformidade. Um supremo artífice nunca quebrará com uma nota, sílaba ou

---

[6]*Uma tragicomédia de William Shakespeare (1564–1616), poeta, dramaturgo e ator inglês, escrita em 1610.

golpe de pincel a lei viva e interior da obra que está produzindo. Mas, sem escrúpulo algum, ele quebrará aquelas regularidades e ortodoxias superficiais que poucos críticos sem imaginação confundem com suas leis. A extensão em que se pode distinguir uma "licença" justa de um mero serviço malfeito ou falha de unidade depende da extensão em que alguém compreendeu o significado real e interior da obra como um todo. Se tivéssemos apreendido como um todo o espírito mais íntimo daquela "obra que Deus fez desde o princípio até o fim"[7] e da qual a Natureza é apenas uma parte, e talvez uma parte pequena, estaríamos em posição de decidir se as interrupções milagrosas na história da Natureza foram meras impropriedades indignas do Grande Artífice ou expressões da mais verdadeira e profunda unidade em sua obra total. De fato, é claro, não estamos nessa posição. O abismo entre a mente de Deus e a nossa deve, de qualquer forma, ser incalculavelmente maior do que o abismo entre a mente de Shakespeare e a dos críticos mais intrometidos da velha escola francesa.[8]

Pois quem pode supor que o ato externo de Deus, visto de dentro, teria a mesma complexidade de relações matemáticas que a Natureza, cientificamente estudada, revela? É como pensar que um poeta constrói seu verso a partir daqueles pés métricos pelos quais podemos analisá-lo, ou que o discurso

---

[7]*Eclesiastes 3:11 (ACF).
[8]*Uma influente escola de crítica literária francesa derivou suas ideias principalmente de Ferdinand de Saussure (1857–1913), linguista e filósofo suíço, cujas teorias tornaram a linguística uma ciência, e, posteriormente, de Jacques Derrida (1930–2004), filósofo franco-magrebino, talvez o maior expoente do desconstrutivismo, que tomou Saussure como base para sua filosofia. "A desconstrução proclama que não há um autor único identificado no sentido tradicional; em vez de um único texto, nós temos potencialmente um número infinito de textos" (shakespearebrasileiro.org/especialistas/, acesso em 27 de jul de 2020).

vivo toma a gramática como ponto de partida. Mas a melhor ilustração de todas é a de Bergson.[9] Imaginemos que uma raça de pessoas cuja limitação mental peculiar as leve a considerar uma pintura como algo feito de pequenos pontos coloridos que foram reunidos como um mosaico. Estudando a pincelada de uma grande pintura, através de suas lupas, elas descobrem relações cada vez mais complicadas entre os pontos, e classificam essas relações, com muito trabalho, de acordo com certas regularidades. Seu trabalho não será em vão. Essas regularidades de fato "funcionarão"; elas cobrirão a maior parte dos fatos. Mas, se aquelas pessoas concluírem que qualquer afastamento das regularidades seria indigno do pintor e uma quebra arbitrária das próprias regras dele, elas ficarão muito perdidas. Pois as regularidades que elas observaram nunca foram a regra que o pintor seguia. O que elas reconstroem arduamente a partir de um milhão de pontos, dispostos em uma agonizante complexidade, ele realmente produziu com um único giro rápido do pulso, enquanto seus olhos miravam a tela como um todo e sua mente obedecia às leis de composição da qual os observadores, contando seus pontos, não tiveram a menor percepção, e talvez nunca a tenham.

Não digo que as normalidades da Natureza sejam irreais. A fonte viva da energia divina, solidificada para os propósitos desta Natureza espaço-temporal em corpos que se deslocam no espaço e no tempo, e daí, pelo nosso pensamento abstrato, são transformados em fórmulas matemáticas, na verdade, para nós, geralmente se enquadram em determinados

---

[9]*Para Bergson, ver cap. 11, nota 6. Lewis tem em mente o cap. 1, item "O élan vital", do livro *A evolução criadora*, de 1907 (São Paulo: Editora Unesp, 2010).

padrões. Ao descobrir esses padrões, estamos adquirindo conhecimento real, e muitas vezes útil. Contudo, pensar que uma perturbação deles constituiria uma violação da regra viva e da unidade orgânica pela qual Deus, de seu próprio ponto de vista, opera, é um erro. Se milagres ocorrem, podemos ter certeza de que a não operação de milagres é que seria a verdadeira inconsistência.

Como um milagre pode não ser inconsistência, e sim a mais alta consistência, ficará claro para aqueles que leram o indispensável livro da srta. Dorothy Sayers, *A mente do Criador*.[10] A tese da srta. Sayers é baseada na analogia entre a relação de Deus com o mundo, por um lado, e a relação de um autor com seu livro, por outro. Se você estiver escrevendo uma história, milagres ou acontecimentos anormais podem ser arte ruim ou não. Se, por exemplo, você estiver escrevendo um romance realista comum e colocar seus personagens em uma confusão sem saída, seria praticamente intolerável que você, de repente, resolvesse tudo de modo fácil e garantisse um final feliz, deixando uma fortuna para o herói vinda de um lugar inesperado. Por outro lado, não há nada contra, desde o início, ter como tema as aventuras de um homem que herda uma fortuna inesperada. O acontecimento incomum é perfeitamente permitido se é *sobre* ele que você estiver, de fato, escrevendo: é um crime artístico você simplesmente o introduzir à força para sair de um buraco em que se meteu no relato. A história de fantasmas é uma forma legítima de arte, mas você não deve incluir um fantasma num romance comum com o objetivo de superar uma dificuldade na trama.

---

[10]*Dorothy Leigh Sayers (1893–1957), poeta, escritora de romances policiais (pelo que é mais conhecida), ensaísta e tradutora inglesa. Foi amiga de Lewis e de Tolkien. *A mente do Criador*, São Paulo: É Realizações, 2016.

A propriedade dos milagres

Ora, não há dúvida de que grande parte da objeção moderna aos milagres se baseia na suspeita de que são maravilhas do tipo errado: que uma história de certo tipo (Natureza) sofre uma interferência arbitrária, com o objetivo de tirar os personagens de uma dificuldade, por meio de acontecimentos que de modo algum pertencem a esse tipo de história. Algumas pessoas provavelmente pensam na Ressurreição como um expediente desesperado de última hora para salvar o Herói de uma situação que havia saído do controle do Autor.

O leitor pode descansar a mente. Se eu pensasse que os milagres são assim, não acreditaria neles. Se eles ocorreram, fizeram-no porque são exatamente a coisa a respeito da qual trata essa história universal. Eles não são exceções (embora raramente ocorram), não são irrelevâncias. Eles são precisamente os capítulos dessa grande história sobre a qual o enredo gira. Morte e Ressurreição são o assunto da história; e, se tão somente tivéssemos olhos para vê-lo, isso foi sugerido em todas as páginas, e encontrou-nos, de alguma maneira disfarçada, a cada passo, e foi até mesmo murmurado em conversas entre personagens secundários (se é que são personagens secundários), como os vegetais. Se você até agora não acreditou em milagres, vale a pena fazer uma pausa para considerar se isso não se dá principalmente porque você pensou ter descoberto o tema de que a história realmente tratava — que átomos, tempo e espaço, economia e política eram a trama principal? E estaria você certo? É fácil cometer erros em tais assuntos. Um amigo meu escreveu uma peça cuja ideia principal era que o herói tinha um horror patológico a árvores e uma mania de derrubá-las. Todavia, naturalmente outras coisas também estavam presentes; havia algum tipo de história de amor misturada com isso. E as árvores mataram o homem no final. Quando terminou de escrevê-la,

Milagres

meu amigo a enviou para um homem mais velho fazer sua acareação. A história voltou com o comentário seguinte: "Nada mal. Mas eu cortaria aquela *enrolação* toda sobre as árvores." Certamente, espera-se que Deus faça uma história melhor do que meu amigo. Contudo, é uma história muito *longa*, com um enredo complicado; e talvez não sejamos leitores muito atentos.

CAPÍTULO 13

Sobre a probabilidade

"A probabilidade se funda na suposição de uma semelhança entre os objetos de que tivemos experiência e aqueles de que não tivemos. É impossível, portanto, que essa suposição possa surgir da probabilidade."
Hume, Tratado da natureza humana, Livro I, parte 3, seção 6, §7[1]

O argumento apresentado até aqui mostra que milagres são possíveis e que não há nada antecedentemente ridículo nas histórias que dizem que, em algumas ocasiões, Deus os realizou. Isso não significa, é claro, que estamos comprometidos a acreditar em todas as histórias de milagres. A maioria das

---

[1]*David Hume (1711–1776), escritor, filósofo e professor escocês, conhecido pelo ceticismo quanto à capacidade humana de conhecer a realidade que o cerca. *Tratado da natureza humana – Uma tentativa de introduzir o método experimental de raciocínio nos assuntos morais* (São Paulo: Editora Unesp, 2009, 2. ed., revista e ampliada; trad. Débora Danowski. A citação se encontra na pág. 119) foi sua primeira obra, escrita aos 28 anos, a qual, pela originalidade das ideias defendidas, influenciou filósofos e cientistas.

histórias sobre ocorrências milagrosas é provavelmente falsa; ao que parece, a maioria das histórias sobre ocorrências naturais é falsa. Mentiras, exageros, mal-entendidos e boatos compõem talvez mais da metade de tudo o que é dito e escrito no mundo. Devemos, portanto, encontrar um critério pelo qual julgar qualquer história particular de algo milagroso.

Em certo sentido, é claro, nosso critério é algo simples: as histórias que devem ser aceitas são aquelas para as quais a evidência histórica é suficientemente boa. Mas, então, como vimos no início, a resposta à pergunta: "Quantas evidências devemos exigir para esta história?" depende de nossa resposta à pergunta: "Até que ponto esta história é intrinsecamente provável?" Devemos, portanto, encontrar um critério de probabilidade.

O procedimento comum do historiador moderno, mesmo que ele admita a possibilidade do milagre, é não admitir nenhum exemplo em particular até que todas as possibilidades de explicação "natural" tenham sido tentadas e falhado. Ou seja, ele aceitará as explicações "naturais" mais improváveis, em vez de dizer que um milagre ocorreu. Alucinação coletiva, hipnotismo sem a permissão dos espectadores, conspiração instantânea generalizada para mentir e realizada por pessoas que não são conhecidas por serem mentirosas e que provavelmente não são beneficiadas pela mentira — todos esses são acontecimentos muito improváveis: tão improváveis que, exceto pelo objetivo especial de excluírem um milagre, eles nunca são sugeridos. Contudo, eles são preferidos à admissão de um milagre.

Tal procedimento é, do ponto de vista puramente histórico, o máximo da loucura, *a menos* que comecemos por saber que qualquer Milagre é mais improvável do que o acontecimento natural mais improvável. Será que nós sabemos disso?

Sobre a probabilidade

Devemos distinguir os diferentes tipos de improbabilidade. Como os milagres são, por definição, mais raros do que outros acontecimentos, é obviamente improvável que ocorram em local e horário previamente determinados. Nesse sentido, todo milagre é improvável. Contudo, esse tipo de improbabilidade não torna inacreditável a história de que um milagre *aconteceu*; pois, no mesmo sentido, todos os acontecimentos foram uma vez improváveis. É imensamente improvável saber-se de antemão que um seixo caindo da estratosfera sobre Londres atingiria determinado ponto ou que uma pessoa em particular ganharia um grande prêmio de loteria. Mas o relato de que o seixo caiu diante desta ou daquela loja ou que o sr. Fulano de Tal ganhou na loteria não é de todo inacreditável. Quando considera o imenso número de encontros e uniões férteis necessários entre seus antepassados para que você nascesse, percebe que era imensamente improvável que uma pessoa como você viesse a existir, mas, uma vez que você está aqui, o relato de sua existência não é nem um pouco inacreditável. Não estamos aqui preocupados com probabilidade deste tipo: probabilidade antecedente de chances. Nosso interesse é a probabilidade histórica.

Desde o famoso *Ensaio*[2] de Hume, acredita-se que declarações históricas sobre milagres são as mais intrinsecamente improváveis de todas as declarações históricas. Segundo Hume, a probabilidade repousa no que pode ser chamado

---

[2]*Inicial maiúscula e itálico no original (talvez porque esse texto foi, muitas vezes, publicado em separado do restante da obra). O ensaio a que se refere Lewis é, na verdade, a seção X, "Sobre milagres", do livro *Investigação acerca do entendimento humano*, de 1748 (tradução de Anoar Aiex. São Paulo: Editora Nova Cultural, 1999). As expressões "experiência constante e inalterável" e "experiência uniforme" são do texto de Hume.

Milagres

de voto majoritário de nossas experiências passadas. Quanto mais se sabe que algo acontece, mais provável é que isso aconteça novamente; e, quanto menos frequentemente, menos provável. A regularidade do curso da Natureza, diz Hume, é apoiada por algo melhor do que o voto majoritário de experiências passadas: é apoiada pelo voto unânime delas ou, como diz Hume, por "experiência constante e inalterável". De fato, existe uma "experiência uniforme" contra o Milagre; caso contrário, diz Hume, não seria um Milagre. Um milagre é, portanto, o mais improvável de todos os acontecimentos. É sempre mais provável que as testemunhas estivessem mentindo ou enganadas do que houvesse ocorrido um milagre.

Agora, é claro, temos de concordar com Hume que, se existe uma "experiência uniforme" absoluta contra milagres, se, em outras palavras, eles nunca aconteceram, é porque nunca aconteceram mesmo. Infelizmente, sabemos que a experiência contra eles é uniforme apenas se soubermos que todos os relatos sobre eles são falsos. E só podemos saber que todos os relatos são falsos se já sabemos que milagres nunca ocorreram. De fato, estamos discutindo em círculos.

Há também uma objeção a Hume que nos leva a aprofundar o problema. Toda a ideia de Probabilidade (como Hume a entende) depende do princípio da Uniformidade da Natureza. A menos que a Natureza sempre avance da mesma maneira, o fato de uma coisa ter acontecido dez milhões de vezes não tornaria um pouco mais provável que ela acontecesse novamente. E como conhecemos a Uniformidade da Natureza? O pensamento de um momento mostra que não a conhecemos por experiência. Observamos muitas regularidades na Natureza. Contudo, é claro que todas as observações que os homens fizeram ou farão enquanto durar a humanidade cobrem apenas uma fração minuciosa dos acontecimentos que realmente ocorrem. Portanto, nossas observações não teriam utilidade, a menos que tivéssemos certeza de que a Natureza, quando não a estamos observando, comporta-se da mesma maneira como quando o fazemos: em outras palavras, a menos que acreditemos na Uniformidade da Natureza. Portanto, a experiência não pode provar a uniformidade, porque a uniformidade deve ser pressuposta antes que a experiência prove alguma coisa. E a mera duração da experiência não ajuda as coisas. Não é bom dizer: "Cada nova experiência confirma nossa crença na uniformidade, e, portanto, esperamos razoavelmente que sempre será confirmada", pois esse argumento funciona apenas no pressuposto de que o futuro se parecerá com o passado — que é simplesmente o pressuposto de Uniformidade sob um novo nome. Podemos dizer que a Uniformidade é, em qualquer caso, muito provável? Infelizmente, não. Acabamos de ver que todas as probabilidades dependem *disso*. A menos que a Natureza seja uniforme, nada é provável ou improvável. E é evidente que o pressuposto do qual você deve partir antes que exista algo como probabilidade não pode ser ele mesmo provável.

O estranho é que ninguém sabia disso melhor do que Hume. Seu *Ensaio sobre milagres* é bastante inconsistente com o ceticismo mais radical e honroso de sua obra principal.

A pergunta: "Milagres acontecem?" e a pergunta: "O curso da Natureza é absolutamente uniforme?" são a mesma pergunta feita de duas maneiras diferentes. Hume, como que por um truque de prestidigitação, trata-as como duas perguntas diferentes. Ele primeiro responde afirmativamente à questão sobre saber a uniformidade da Natureza e, depois, usa essa afirmação como base para responder com uma negativa à pergunta: "Milagres acontecem?" A única pergunta real que ele se propôs a responder nunca é de fato discutida. Ele obtém a resposta para uma forma da pergunta ao assumir a resposta para outra forma da mesma pergunta.

As probabilidades do tipo pelo qual Hume se interessa se mantêm dentro da estrutura de uma suposta Uniformidade da natureza. Quando a questão dos milagres é levantada, estamos perguntando sobre a validade ou perfeição da própria estrutura. Nenhum estudo de probabilidades dentro de determinada estrutura pode-nos dizer quão provável é que a própria estrutura seja violada. Se no horário escolar é certo que a aula de francês acontece na terça-feira de manhã, às dez horas, é bastante provável que Jones, que nunca se prepara direito para o francês, tenha problemas na próxima terça-feira e que teve problemas em qualquer terça-feira anterior. Contudo, o que isso nos diz sobre a probabilidade de o horário ser alterado? Para descobrir isso, você deve espionar a sala dos professores. Não adianta estudar o horário.

Se nos ativermos ao método de Hume, longe de chegar ao que ele esperava (isto é, a conclusão de que todos os milagres são infinitamente improváveis), chegaremos a um completo beco sem saída. O único tipo de probabilidade que ele admite se mantém exclusivamente dentro da estrutura de uniformidade. Quando a própria uniformidade é questionada (e ela é questionada no momento em que perguntamos se ocorrem milagres), esse tipo de probabilidade é suspenso. E Hume não conhece outro. Por seu método, portanto, não podemos dizer se a uniformidade é provável ou improvável; e igualmente não podemos dizer se os milagres são prováveis ou improváveis. Nós encurralamos a uniformidade *e* os milagres em uma espécie de limbo aonde a probabilidade e a improbabilidade nunca podem chegar. Esse resultado é igualmente desastroso para o cientista e para o teólogo, mas, seguindo as linhas de Hume, não há nada a ser feito sobre isso.

Sobre a probabilidade

Nossa única esperança, então, será moldar algum tipo bem diferente de Probabilidade. Por um momento, deixemos de perguntar que direito temos de acreditar na Uniformidade da Natureza e perguntar por que, de fato, os homens acreditam nela. Eu acho que a crença tem três causas, duas das quais são irracionais. A primeira deriva do fato de sermos criaturas de hábitos. Esperamos que novas situações se assemelhem às antigas. É uma tendência que compartilhamos com os animais; pode-se vê-la em ação, frequentemente com resultados muito cômicos, em cães e gatos. A segunda é que, quando planejamos nossas ações, temos de deixar de lado a possibilidade teórica de que a Natureza amanhã possa não se comportar como de costume, porque não podemos fazer nada a respeito. Não vale a pena o incômodo, porque nenhuma ação pode ser tomada para evitá-lo. E o que habitualmente tiramos da mente, logo esquecemos. A imagem da uniformidade, sem ter rival, passa a dominar nossa mente, e acreditamos nisso. Ambas as causas são irracionais e seriam tão eficazes na construção de uma crença falsa quanto na construção de uma crença verdadeira.

Contudo, estou convencido de que existe uma terceira causa. "Na ciência", disse o falecido sir Arthur Eddington, "às vezes temos convicções que apreciamos mas não podemos justificar; somos influenciados por algum senso inato da adequação das coisas".[3] Isso pode parecer um critério esteticamente e subjetivamente perigoso; mas pode-se duvidar de

---

[3]*Sir Arthur Stanley Eddington (1882–1944), astrônomo, físico e matemático inglês, um dos primeiros a apresentar, em língua inglesa, a teoria da relatividade. A citação, com pequena alteração, é do livro *The Nature of the Physical World* [A natureza do mundo físico] (Cambridge: Cambridge University Press, 1948; electronic edition 2007, p. 170).

Milagres

que seja a principal fonte de nossa crença na Uniformidade? Um universo em que acontecimentos sem precedentes e imprevisíveis fossem lançados a cada momento na Natureza não seria apenas inconveniente para nós; seria profundamente repugnante. Não aceitaríamos esse universo de modo algum. Ele é totalmente detestável para nós. Isso choca nosso "senso de adequação das coisas". Antes da experiência, a despeito de muitas experiências, já estamos alistados no lado da uniformidade. Pois é claro que a ciência realmente prossegue sem se concentrar nas regularidades da Natureza, mas sim em suas aparentes irregularidades. É a aparente irregularidade que leva a cada nova hipótese. Isso acontece porque nos recusamos a aceitar as irregularidades: nunca descansamos até formar e verificar uma hipótese que nos permita dizer que elas não eram, afinal de contas, realmente irregularidades. A natureza no que se refere a nós parece, a princípio, um amontoado de irregularidades. O fogão que acendeu bem ontem não acende hoje; a água que era saudável no ano passado é venenosa este ano. Todo o amontoado de experiências aparentemente irregulares nunca poderia ter sido transformado em conhecimento científico, a menos que, desde o início, tivéssemos passado a ela uma fé na uniformidade que praticamente nenhum número de decepções pode abalar.

Essa fé — a preferência — é algo em que podemos confiar? Ou é apenas o modo como nossa mente costuma funcionar? É inútil dizer que ela até agora sempre foi confirmada pelo acontecimento. Isso não é bom, a menos que (pelo menos silenciosamente) se acrescente: "E, portanto, sempre será": e não se pode acrescentar isso a menos que já se saiba que a fé na uniformidade está bem fundamentada. E é exatamente isso que estamos perguntando agora. Acaso esse nosso senso de adequação corresponde a algo na realidade exterior?

Sobre a probabilidade

A resposta depende da Metafísica. Se tudo o que existe é Natureza, o grande acontecimento irracional interligado, se nossas convicções mais profundas são meramente subprodutos de um processo irracional, então, é evidente que não há o menor motivo para supor que nosso senso de adequação e nossa consequente fé na uniformidade contem-nos algo sobre uma realidade exterior a nós mesmos. Nossas convicções são simplesmente um fato *sobre nós* — como a cor de nossos cabelos. Se o Naturalismo for verdadeiro, não temos motivos para confiar em nossa convicção de que a Natureza é uniforme. Ela só pode ser confiável se uma Metafísica completamente diferente for verdadeira. Se a coisa mais profunda da realidade, o Fato que é a fonte de todos os outros fatos, for algo em algum grau como nós — um Espírito Racional e dele derivarmos nossa espiritualidade racional —, na verdade, nossa convicção pode ser confiável. Nossa repugnância à desordem é derivada do Criador da Natureza e nosso Criador. O mundo desordenado no qual não podemos suportar crer é o mundo desordenado que ele não teria suportado criar. Nossa convicção de que a tabela de horários não será alterada de forma perpétua ou sem sentido é sólida porque temos (em certo sentido) escutado às escondidas na sala dos professores.

As ciências logicamente exigem uma metafísica desse tipo. O maior entre os filósofos naturais pensa que ela também é a metafísica da qual eles originalmente cresceram. O professor Whitehead aponta que séculos de crença em um Deus que combinava "a energia pessoal de Javé" com "a racionalidade de uma filosofia grega"[4] produziram pela primeira vez aquela

---

[4]Alfred North Whitehead, *A ciência e o mundo moderno*, trad. Hermann Herbert Watzlawick (São Paulo: Paulus, 2006, cap. I, p. 27). [* Na nota original, Lewis cita equivocadamente o cap. II.)

firme expectativa de ordem sistemática que tornou possível o nascimento da ciência moderna. Os homens se tornaram científicos porque esperavam uma Lei na Natureza, e esperavam uma Lei na Natureza porque acreditavam em um Legislador. Na maioria dos cientistas modernos, essa crença morreu: será interessante ver por quanto tempo a confiança deles na uniformidade sobrevive. Dois desenvolvimentos significativos já apareceram: a hipótese de uma subnatureza sem lei e a renúncia à alegação de que a ciência é verdadeira. Podemos estar vivendo mais perto do que supomos do fim da Era Científica.

Contudo, se admitirmos a existência de Deus, devemos admitir o Milagre? Na verdade, na verdade, você não tem como se defender disso. Essa é a barganha. A teologia, com efeito, diz a você: "Admita que existe Deus e, com ele, o risco de alguns milagres, e eu, em troca, ratificarei sua fé na uniformidade em relação à maioria dos acontecimentos". A filosofia que o proíbe de tornar a uniformidade absoluta é também a filosofia que oferece bases sólidas para acreditar que ela é geral, *quase* absoluta. O Ser que ameaça a alegação de onipotência da Natureza a confirma em suas ocasiões legais. Dê-nos esse nadinha de piche e salvaremos o navio. A alternativa é realmente muito pior. Tente tornar a Natureza absoluta, e você descobrirá que a uniformidade dela não é nem mesmo provável. Ao reivindicar demais, você não obtém nada. Você obtém o impasse, como em Hume. A teologia oferece um arranjo que funciona, que deixa o cientista livre para continuar seus experimentos, e o cristão, suas orações.

Nós também, eu sugiro, descobrimos o que estávamos procurando: um critério segundo o qual julgar a probabilidade intrínseca de um suposto milagre. Devemos julgá-lo pelo nosso "senso inato de adequação das coisas", o mesmo senso

Sobre a probabilidade

de adequação que nos levou a antecipar que o universo seria ordenado. Não quero dizer, é claro, que devemos usar esse sentido para decidir se os milagres em geral são possíveis: por motivos filosóficos, sabemos que são. Também não quero dizer que uma sensação de adequação funcione, em vez de uma investigação minuciosa das evidências históricas. Como afirmei repetidamente, a evidência histórica não pode ser estimada, a menos que tenhamos estimado inicialmente a probabilidade intrínseca do acontecimento registrado. É ao fazer essa estimativa em relação a cada história de algo miraculoso que nosso senso de adequação entra em cena.

Se, ao dar tanto peso à sensação de adequação, estivesse fazendo algo novo, eu me sentiria um pouco nervoso. Na realidade, estou apenas dando reconhecimento formal a um princípio que é sempre usado. Seja o que for que os homens *digam*, ninguém realmente pensa que a doutrina cristã da Ressurreição está exatamente no mesmo nível de uma piedosa fofoca sobre como Madre Egarée Louise miraculosamente achou seu segundo melhor dedal com a ajuda de Santo Antônio.[5] Os religiosos e os irreligiosos estão realmente de acordo quanto ao assunto. O grito de alegria com o qual o cético desenterraria a história do dedal, e o "corado recato" com o qual o cristão a manteria em segundo plano, contam a mesma narrativa. Mesmo aqueles que consideram absurdas todas as histórias de milagres pensam que algumas são muito mais absurdas do que outras; mesmo aqueles que acreditam

---

[5]*Não há nenhum registro sobre uma Madre Egarée Louise. Segundo Arend Smilde, pesquisador da obra lewisana, o nome parece ser uma invenção de Lewis, uma vez que égarer é "perder-se, extraviar" em francês, e Santo Antônio (1195–1231), frade franciscano e Doutor da Igreja, é tido como o patrono das coisas e das pessoas perdidas.

em todas (se alguém acredita) pensam que algumas exigem uma fé especialmente robusta. O critério que os dois grupos estão realmente usando é o de adequação. Mais da metade da descrença existente nos milagres é baseada na percepção de sua *inadequação*: uma convicção (devida, como argumentei, à falsa filosofia) de que eles não são condizentes com a dignidade de Deus, ou da Natureza, ou à indignidade e à insignificância do homem.

Nos três capítulos seguintes, tentarei apresentar os milagres centrais da Fé Cristã de maneira a exibir sua "adequação". No entanto, não o farei por estabelecer formalmente as condições que a "adequação" deve satisfazer de forma abstrata para, em seguida, encaixar os Milagres nesse esquema. Nosso "senso de adequação" é algo delicado e esquivo demais para ser submetido a esse tratamento. Se eu conseguir, a adequação — e, se eu falhar, a inadequação — desses milagres se tornará, por si só, aparente enquanto os estudamos.

CAPÍTULO 14

O Grande Milagre

*"Uma luz que brilhava por trás do Sol; o Sol
Não foi ardente o suficiente para entrar por
onde essa luz podia."*
Charles Williams[1]

O principal milagre defendido pelos cristãos é a Encarnação. Eles dizem que Deus se tornou Homem. Qualquer outro milagre prepara para esse, ou exibe esse fato, ou dele resulta. Assim como todo acontecimento natural é a manifestação, em local e momento determinados, do caráter total da Natureza, todo milagre cristão específico manifesta, em local e momento determinados, o caráter e o significado da Encarnação. Não há dúvida no cristianismo sobre

---

[1]*Charles Walter Stansby Williams (1886–1945), poeta, escritor e professor inglês, membro devotado da Igreja da Inglaterra. Fazia parte de The Inklings, um grupo de escritores da Universidade de Oxford, que incluía Tolkien e Lewis. A citação é do poema "The Calling of Taliessin" [O chamado de Taliessin], do livro *The Region of the Summer Stars* [A região das estrelas do verão], de 1944.

as interferências arbitrárias espalhadas por todo canto. Elas não dizem respeito a uma série de incursões desconectadas da Natureza, mas aos vários passos de uma invasão estrategicamente coerente — uma invasão que pretende a conquista e a "ocupação" completas. A adequação e, portanto, a credibilidade, dos milagres específicos dependem de sua relação com o Grande Milagre; toda discussão sobre eles isoladamente é inútil.

A adequação ou a credibilidade do Grande Milagre em si não pode, obviamente, ser julgada pelo mesmo padrão. E admitamos de pronto que é muito difícil encontrar um padrão pelo qual ele possa ser julgado. Se a coisa ocorreu, foi o acontecimento central na história da Terra — exatamente o tema de que a história toda tratou. Como aconteceu apenas uma vez, é, pelos padrões de Hume, infinitamente improvável. Mas, então, toda a história da Terra também aconteceu apenas uma vez; seria ela, portanto, inacreditável? Daí a dificuldade, que pesa igualmente sobre os cristãos e ateus, de estimar a probabilidade da Encarnação. É como perguntar se a existência da própria Natureza é intrinsecamente provável. É por isso que é mais fácil argumentar, em bases históricas, que a Encarnação de fato ocorreu do que mostrar, em bases filosóficas, a probabilidade de sua ocorrência. É muito grande a dificuldade histórica de dar à vida, às palavras e à influência de Jesus qualquer explicação que não seja mais difícil que a explicação cristã. A discrepância entre a profundidade e a sanidade e (deixe-me acrescentar) a *perspicácia* de seu ensino moral, por um lado, e a megalomania desenfreada que deve estar por trás de seu ensino teológico, por outro, a menos que ele seja sem dúvida Deus, nunca foi satisfatoriamente superada. Portanto, as hipóteses não cristãs se sucedem uma à outra com a fertilidade inquieta de perplexidade. Hoje somos solicitados a considerar todos os elementos teológicos como acréscimos posteriores à história de um Jesus "histórico" e meramente humano; ontem éramos solicitados a acreditar que tudo começou com mitos sobre vegetação e religiões de mistério e que o Homem pseudo-histórico surgiu apenas em uma data posterior. Contudo, essa investigação histórica está fora do escopo do meu livro.

Como a Encarnação, se for um fato, mantém essa posição principal e, como estamos assumindo que ainda não sabemos que isso aconteceu historicamente, estamos em uma posição que pode ser ilustrada pela seguinte analogia. Suponhamos possuir partes de um romance ou de uma sinfonia. Alguém agora nos traz um pedaço recém-descoberto de manuscrito e diz: "Esta é a parte que faltava na obra. Este é o capítulo em torno do qual toda a trama do romance de fato girou. Este é o tema principal da sinfonia". Nosso trabalho seria verificar se a nova passagem, se admitida no local central que o descobridor reivindicou, realmente ilumina todas as partes que já vimos e "as une". Também não poderíamos errar muito. A nova passagem, se espúria, por mais atraente que parecesse à primeira vista, seria cada vez mais difícil de conciliar com o restante do trabalho, por mais tempo que considerássemos o assunto. Mas, se fosse genuína, então, a cada nova audição da música ou a cada nova leitura do livro, deveríamos encontrá-la bem instalada, ficando mais à vontade e trazendo à tona significado para todos os detalhes em todo o trabalho que até então havíamos negligenciado. Mesmo que o novo capítulo central ou tema principal contenha grandes dificuldades, ainda devemos considerá-lo genuíno, desde que continuamente remova dificuldades em outros lugares. É algo assim que devemos fazer com a doutrina da Encarnação. Nesse caso, em vez de uma sinfonia ou um romance, temos toda a massa de nosso conhecimento. A credibilidade dependerá da extensão em que a doutrina, se aceita, puder iluminar e integrar toda a massa. É muito menos importante que a própria doutrina seja totalmente compreensível. Acreditamos que o sol está no céu ao meio-dia no verão, e não porque podemos ver claramente o sol (de fato, não podemos), mas porque podemos ver tudo mais.

A primeira dificuldade que ocorre a qualquer crítico da doutrina está no centro dela. O que pode ser entendido por "Deus se tornou homem"? Em que sentido é concebível que o Espírito eterno e autoexistente, o Fato básico, seja tão combinado com um organismo humano natural que origine uma pessoa? E isso seria uma pedra de tropeço fatal se ainda não tivéssemos descoberto que, em todo ser humano, uma atividade mais que natural (o ato de raciocinar) e, portanto, presumivelmente, um agente mais que natural, está assim unido a uma parte da Natureza: tão unido, que a criatura composta se chama "Eu" e "Mim". Não estou, é claro, sugerindo que o que aconteceu quando Deus se tornou homem foi simplesmente outro exemplo desse processo. Em outros homens, uma *criatura* sobrenatural se torna, em união com a criatura natural, um ser humano. Em Jesus, afirma-se, o próprio Criador Sobrenatural o fez. Acho que nada do que fazemos nos permitirá imaginar como era a consciência do Deus encarnado. É nesse ponto que a doutrina não é totalmente compreensível. Contudo, a dificuldade que sentimos na mera ideia do Sobrenatural descer ao Natural é aparentemente inexistente, ou pelo menos superada na pessoa de todo homem. Se não soubéssemos por experiência como é um animal racional — como todos esses fatos naturais, toda essa bioquímica, afeição ou repulsão instintiva e percepção sensorial, podem se tornar o meio do pensamento racional e da vontade moral que entendem as relações necessárias e reconhecem modos de comportamento como universalmente vinculativos —, não poderíamos conceber, muito menos imaginar, a coisa acontecendo. A discrepância entre um movimento de átomos no córtex de um astrônomo e seu entendimento de que deve haver um planeta ainda não observado além de Urano já é tão imensa que a Encarnação do próprio Deus é, em certo sentido, só um pouco mais surpreendente. Não podemos imaginar como o Espírito Divino habitava no espírito humano e criado de Jesus, mas também não podemos imaginar como o espírito humano dele, ou o de qualquer homem, habita no organismo natural. O que podemos entender, se a doutrina cristã for verdadeira, é que nossa própria existência composta não é a pura anomalia que possa parecer, mas uma imagem tênue da própria Encarnação Divina — o mesmo tema em uma escala muito menor. Podemos entender que, se Deus desce assim para o espírito humano, e o espírito humano desce assim para a Natureza, e nossos pensamentos descem para nossos sentidos e paixões, e se mentes adultas (mas apenas as melhores) podem simpatizar com as crianças, e homens simpatizam com os animais, então, tudo se junta, e a realidade total, a Natural e a Sobrenatural, na qual vivemos é mais multifária e sutilmente harmoniosa do que suspeitávamos. Vimos um novo princípio-chave: o descer do poder do Altíssimo, na medida em que é verdadeiramente Altíssimo; o poder do maior de incluir o menor. Assim, corpos sólidos exemplificam muitas verdades da geometria plana, mas figuras planas não representam verdades da geometria sólida; muitas proposições inorgânicas são verdadeiras para os organismos, mas nenhuma proposição orgânica é verdadeira para os minerais; Montaigne se tornou um gatinho para sua gatinha, mas ela nunca falou de filosofia

Milagres

com ele.[2] Por toda parte, é o grande que entra no pequeno — seu poder de fazê-lo é quase o teste de sua grandeza.

Na história cristã, Deus desce para reascender. Ele desceu; desceu das alturas do ser absoluto para o tempo e o espaço, desceu à humanidade; desceu ainda mais, se os embriologistas estiverem certos, a recapitular no ventre as fases antiga e pré-humana da vida; desceu até as próprias raízes e ao fundo do mar da Natureza que ele criou. Contudo, ele desceu para subir de novo e levar consigo todo o mundo em ruínas. Pode-se imaginar um homem forte, curvando-se cada vez mais, inclinando-se para baixo, a fim de colocar-se sob um fardo muito complicado. Ele deve-se inclinar a fim de erguer-se, ele deve quase desaparecer sob a carga antes de endireitar inacreditavelmente as costas e pôr-se em marcha com toda o grande volume balançando nos ombros. Ou pode-se pensar em um mergulhador, primeiro se reduzindo à nudez, depois olhando para um ponto distante, em seguida, espirrando água para os lados, e mergulha, desaparecendo, avançando da água límpida e quente para a água escura e fria, avançando pela pressão crescente para aquela região que é como a morte, uma região de limo e lodo e antigas ruínas; depois, sobe de volta à cor e à luz, com os pulmões quase estourando, até que, de repente, ele rompe a superfície uma vez, segurando na mão a coisa

---

[2]*Ensaios*, Livro Segundo, cap. XII, "Apologia de Raymond Sebond". [* Michel de Montaigne (1533–1592), escritor, jurista, político e filósofo francês. *Ensaios*, publicado em 1580, tornou-se uma das obras mais influentes do Renascimento e inaugurou um novo gênero literário. No original, Lewis cita, equivocadamente, o Livro Primeiro. A versão em português completa, que consultamos, é *Montaigne*, Coleção Os Pensadores (São Paulo: Abril Cultural, 1984, p. 204ss. Trad. Sérgio Millet). Segundo o entendimento de Arend Smilde, "Lewis está interpretando e criticando a observação de Montaigne, em vez de apenas citá-la".]

gotejante e preciosa que ele desceu para recuperar. Ele e ela têm cor agora que subiram à luz; lá embaixo, nas trevas, onde ela era incolor, ele também havia perdido a cor.

Nesse descer e reascender, todos reconhecerão um padrão familiar: algo escrito por todo o mundo. É o padrão de toda a vida vegetal. Ela deve reduzir-se a algo duro, pequeno e como morto, deve cair no chão: daí a nova vida se reascende. É o padrão de toda a geração animal também. Há uma descida dos organismos completos e perfeitos para o espermatozoide e o óvulo, e no útero escuro há uma vida em princípio inferior à da espécie que está sendo reproduzida; a seguir, a lenta ascensão ao embrião perfeito, ao bebê vivo e consciente e, finalmente, ao adulto. O mesmo acontece em nossa vida moral e emocional. Os primeiros desejos inocentes e espontâneos têm de se submeter ao processo como o da morte de controle ou negação total, mas a partir daí existe uma ascensão ao caráter totalmente formado, no qual toda a força do material original opera, mas de uma nova maneira. Morte e Renascimento — descer para subir — são um princípio fundamental. Por meio dessa passagem estreita, desse apequenar-se, quase sempre a estrada é encontrada.

A doutrina da Encarnação, se aceita, coloca esse princípio ainda mais enfaticamente no centro. O padrão existe na Natureza porque esteve primeiramente em Deus. Todos os exemplos que mencionei não passam de transposições do tema Divino em uma escala menor. Agora não estou me referindo simplesmente à Crucificação e à Ressurreição de Cristo. O padrão total, do qual esses fatos são apenas o ponto de virada, é a verdadeira Morte e o verdadeiro Renascimento: certamente nenhuma semente jamais caiu de uma árvore tão bela em um solo tão escuro e frio de modo a fornecer mais do que uma pífia analogia a essa

Milagres

enorme descida e reascensão em que Deus dragou o fundo salgado e limoso da Criação.

Deste ponto de vista, a doutrina cristã se sente tão rapidamente à vontade em meio às apreensões mais profundas da realidade que temos vindas de outras fontes, que a dúvida pode surgir em uma nova direção. "Não está ela se adequando bem demais? Tão bem que deve ter entrado na mente dos homens quando viram esse padrão em outro lugar, particularmente na morte e na ressurreição anual do trigo?" Pois, é claro, tem havido muitas religiões nas quais esse drama anual (tão importante para a vida da tribo) era quase que reconhecidamente o tema central, e a divindade — Adônis, Osíris[3] ou outra — quase indiscutivelmente uma personificação do trigo, um "rei do trigo" que morria e ressuscitava a cada ano. Cristo não é simplesmente outro rei do trigo?

Agora, isso nos leva à coisa mais estranha sobre o cristianismo. Em certo sentido, a visão que acabei de descrever é realmente verdadeira. De certo ponto de vista, Cristo é "o mesmo tipo de coisa" que Adônis ou Osíris (sempre, é claro, pondo de lado o fato de que eles viveram ninguém sabe onde ou quando, enquanto Jesus, nós sabemos, foi executado por um magistrado romano em um ano que pode ser mais ou menos datado). E isso é exatamente o quebra-cabeça. Se o

---

[3]*Adônis, na mitologia grega, era jovem de grande beleza. Ele despertou o amor da deusa Afrodite, mas Ares, amante dela, providenciou que o jovem fosse morto por um javali. No submundo, Perséfone, que era ali a rainha, também se apaixonou por ele. Prometeu devolvê-lo a Afrodite, desde que ele passasse seis meses com cada uma. Posteriormente, Zeus determinou que Adônis estaria livre quatro meses por ano e passaria quatro meses com cada uma das deusas. A partir desse mito, Adônis se tornou a divindade telúrica da vegetação, que morre no inverno e volta à vida na primavera. Osíris era o deus egípcio dos mortos e das lavouras. Ele foi trazido de volta à vida por Ísis, sua irmã e esposa.

O Grande Milagre

cristianismo é uma religião desse tipo, por que a analogia da semente que cai no chão é tão raramente mencionada (duas vezes apenas, se não me engano) no Novo Testamento?[4] As religiões do trigo são populares e respeitáveis: se é isso que os primeiros mestres cristãos estavam apresentando às pessoas, que motivo eles poderiam ter para ocultar o fato? A impressão que causam é a de homens que simplesmente não sabem o quão próximos estão das religiões do trigo: homens que simplesmente ignoram as ricas fontes de imagens e associações relevantes nas quais estavam à beira de tocar a todo momento. Se você disser que eles as suprimiram porque eram judeus, isso apenas indica o quebra-cabeça de uma nova forma. Por que a única religião de um "Deus que morre" que de fato sobreviveu e subiu a alturas espirituais não experimentadas antes deve ocorrer precisamente entre aquelas pessoas para quem, e quase somente para elas, todo o círculo de ideias que pertencem ao "Deus que morre" é estranha? Eu mesmo, que primeiramente li o Novo Testamento de modo sério quando estava, imaginativa e poeticamente, de todo entusiasmado com o padrão de Morte e Renascimento e ansioso por encontrar um rei do trigo, fiquei desanimado e intrigado com a quase total ausência dessas ideias nos documentos do cristianismo. Um momento particularmente se destacou. Um "Deus que morre" — o único Deus que morre que talvez seja histórico — segura pão, isto é, trigo, na mão e diz: "Isto é o meu corpo".[5] Certamente aqui, mesmo que em

---

[4]*Lewis deve ter em mente a parábola do semeador (Mt 13:1-23) e a declaração de Jesus Cristo antes de sua crucificação (Jo 12:24). No entanto, poderiam ser também citadas as parábolas do trigo e do joio (Mt 13:24-30, 36-43) e a do grão de mostarda (v. 31-32), bem como a comparação feita por Paulo com respeito à ressurreição (1Co 15:37-44).
[5]*Mateus 26:26.

nenhum outro lugar — ou, certamente, se não estiver aqui, pelo menos nos mais antigos comentários sobre essa passagem e por meio de todos os usos devocionais posteriores em volume cada vez maior —, a verdade deve ser revelada; a associação entre isso e o drama anual das colheitas deve ser feita; mas não é. Está lá, por minha causa. Não há sinal de que estivesse lá para os discípulos ou (humanamente falando) para o próprio Cristo. É quase como se ele não tivesse percebido o que havia dito.

Os registros, de fato, nos mostram uma Pessoa que *desempenha* o papel do Deus que Morre, mas cujos pensamentos e palavras permanecem bem fora do círculo de ideias religiosas às quais o Deus que Morre pertence. A própria coisa a respeito da qual são as religiões da Natureza parece ter realmente acontecido uma vez; mas aconteceu em um círculo onde nenhum vestígio da religião da Natureza estava presente. É como se você encontrasse a serpente do mar e descobrisse que as serpentes do mar não acreditam nela; como se a história registrasse um homem que fez todas as coisas atribuídas a Sir Lancelote[6], mas que aparentemente nunca ouvira falar de cavalheirismo e de cavaleiros.

Há, no entanto, uma hipótese que, se aceita, torna tudo fácil e coerente. Os cristãos não estão simplesmente afirmando que "Deus" encarnou em Jesus. Eles estão reivindicando que o único Deus verdadeiro é Aquele a quem os judeus adoravam como Javé, e que foi ele quem desceu. Assim, o duplo caráter de Javé é esse. Por um lado, ele é o Deus da Natureza, seu feliz

---

[6]*O cavaleiro mais habilidoso e valente da lenda do rei Artur e os Cavaleiros da Távola Redonda. Desde suas mais antigas histórias, datadas do séc. 12, é sempre revelado como o maior campeão do rei. Ele era leal a Artur, mas apaixonado por Guinevere, a rainha.

O Grande Milagre

Criador. É ele quem lança chuva nos sulcos, até os vales ficarem tão cobertos de cereais que eles riem e cantam. As árvores da floresta se alegram diante dele e sua voz faz com que a cerva selvagem gere filhotes.[7] Ele é o Deus do trigo, do vinho e do óleo. Nesse sentido, ele está constantemente fazendo todas as coisas que os deuses da Natureza fazem: ele é Baco, Vênus, Ceres,[8] todos reunidos em um. Não há vestígio no judaísmo da ideia encontrada em algumas religiões pessimistas e panteístas de que a Natureza é algum tipo de ilusão ou desastre, que a existência finita é, em si mesma, um mal e que a cura está na volta de todas as coisas para Deus. Comparado com tais concepções antinaturais, Javé quase pode ser confundido com um Deus da Natureza.

Por outro lado, Javé claramente *não é* um Deus da Natureza. Ele não morre e volta à vida a cada ano como um verdadeiro Rei do trigo faria. Ele pode dar vinho e fertilidade, mas não deve ser adorado com ritos bacanais ou afrodisíacos. Ele não é a alma da Natureza nem de parte alguma da Natureza. Ele habita a eternidade; ele habita no lugar alto e santo: o céu é seu trono, não seu veículo, e a terra é o escabelo de seus pés, não sua vestimenta.[9] Um dia ele desmantelará os dois e fará um novo céu e uma nova terra. Ele não deve ser identificado nem mesmo com a "centelha divina" no homem. Ele é Deus e não homem: seus pensamentos não são os nossos pensamentos; toda a nossa justiça são trapos imundos.[10] Sua aparição a

---

[7]*1Crônicas 16:33; Salmos 29:9.
[8]*Baco, o Dionísio entre os gregos, era o deus romano do vinho; Vênus, que é a Afrodite grega, era a deusa romana do amor e da beleza; Ceres, que corresponde à Deméter na mitologia grega, era a deusa dos grãos e do amor maternal.
[9]*Isaías 57:15 (ACF); 63:15; 66:1.
[10]*Números 23:19; Isaías 55:8; 64:6.

Milagres

Ezequiel é acompanhada por imagens que não são tomadas emprestadas da Natureza, mas (é um mistério que raramente é percebido)[11] daquelas máquinas que os homens deveriam fabricar séculos após a morte de Ezequiel. O profeta viu algo muito parecido com um *dínamo*.[12]

Javé não é a alma da Natureza nem seu inimigo. Ela não é o corpo dele nem uma declinação e um afastamento dele. Ela é criatura dele. Ele não é um Deus-natureza, mas o Deus da Natureza — seu inventor, criador, proprietário e controlador. Para quem lê este livro, a concepção é familiar desde a infância; portanto, facilmente pensamos que ela é a concepção mais comum do mundo. "Se as pessoas vão acreditar em um Deus", perguntamos, "em que outro tipo elas acreditariam?" Mas a resposta da história é: "em quase qualquer outro tipo". Confundimos nossos privilégios com nossos instintos: assim como encontramos mulheres que acreditam que suas maneiras refinadas são naturais para si. Elas não se lembram de terem sido ensinadas.

Contudo, se existe um Deus assim, e se ele desceu para subir novamente, podemos entender por que Cristo é, ao mesmo tempo, tão parecido com o Rei do Trigo e tão silencioso sobre ele. Ele é como o Rei do Trigo, porque esse é um retrato dele. A similaridade não é nem um pouco irreal ou acidental, pois o Rei do Trigo é derivado (por meio da imaginação humana) dos fatos da Natureza, e os fatos da Natureza são derivados de seu Criador; o padrão de Morte e Renascimento está nela porque esteve primeiramente nele. Por outro lado, os elementos da religião da Natureza estão

---

[11] Devo esse ponto ao cônego Adam Fox.
[12] *Ezequiel 1.

O Grande Milagre

impressionantemente ausentes nos ensinamentos de Jesus e na preparação judaica que levou a eles precisamente porque neles o Original da Natureza se manifestou. Neles, desde o início, você conseguiu entrar no que está por trás da religião da Natureza e por trás da própria Natureza. Onde o Deus real está presente, as sombras desse Deus não aparecem, aquilo com o que as sombras querem se assemelhar. Os hebreus, ao longo de sua história, foram constantemente afastados da adoração aos deuses da Natureza; e não porque os deuses da natureza eram, em todos os aspectos, diferentes do Deus da Natureza, mas sim porque, na melhor das hipóteses, eram meramente parecidos, e era o destino dessa nação ser afastada das semelhanças para ser levada à Coisa em si.

A referência a essa nação nos atrai para uma daquelas características da história cristã que são repulsivas para a mente moderna. Para ser franco, não gostamos da ideia de um "povo escolhido". Democratas por nascimento e educação, devemos preferir pensar que todos os indivíduos e nações começam no mesmo nível sua procura por Deus, ou mesmo que todas as religiões são igualmente verdadeiras. É preciso admitir de imediato que o cristianismo não faz concessões a esse ponto de vista. Ele não fala de uma busca humana por Deus, mas de algo feito por Deus por causa do Homem, para o Homem e sobre o Homem. E o modo como isso é feito é seletivo, antidemocrático, no mais alto grau. Depois que o conhecimento de Deus foi universalmente perdido ou obscurecido, um homem de toda a terra (Abraão) é escolhido.[13] Ele é separado (miseravelmente, podemos supor) de seu ambiente natural, enviado para um país estranho e

---

[13]*Gênesis 12.

Milagres

feito o ancestral de uma nação destinada a carregar o conhecimento do verdadeiro Deus. Dentro dessa nação, há mais seleções: alguns morrem no deserto, outros permanecem na Babilônia.[14] E há ainda mais seleção. O processo se torna cada vez mais estreito, afunilando-se por fim em um pequeno ponto brilhante como a ponta de uma lança. É uma garota judia fazendo suas orações.[15] Toda a humanidade (no que diz respeito à sua redenção) se reduziu a isso.

Tal processo é muito diferente do que o sentimento moderno exige, mas é surpreendentemente parecido com o que a Natureza costuma fazer. A seletividade e, com ela (devemos permitir) um enorme desperdício, é o método da Natureza. Do espaço enorme, uma porção muito pequena é ocupada pela matéria. De todas as estrelas, talvez muito poucas, talvez apenas uma, tenham planetas. Dos planetas em nosso próprio sistema, provavelmente apenas um suporte vida orgânica. Na transmissão da vida orgânica, inúmeras sementes e espermatozoides são emitidos: bem poucos são selecionados para a distinta função da fertilidade. Entre as espécies, apenas uma é racional. Dentro dessa espécie, apenas alguns poucos atingem a excelência em beleza, força ou inteligência.

Nesse ponto, chegamos perigosamente ao argumento da famosa *Analogy*, de Butler.[16] Digo "perigosamente" porque o argumento desse livro quase admite a paródia na forma

---

[14]*Hebreus 3:16-19; veja também Esdras 1:1-4.
[15]*Possível referência a Maria quando foi informado pelo anjo Gabriel que geraria o Cristo (Lc 1:26-38).
[16]*Joseph Butler (1692–1752), filósofo moral e bispo da Igreja da Inglaterra. O livro referido é *The Analogy of Religion, Natural and Revealed, to the Constitution and Course of Nature* [A analogia da religião, natural e revelada, à constituição e ao curso da natureza], de 1736, sua obra mais importante. Nele Butler ataca escritores deístas que tratavam de Deus

seguinte: "Você diz que o comportamento atribuído ao Deus cristão é ao mesmo tempo perverso e tolo, mas não é menos provável que isso seja verdade por essa razão, pois eu posso mostrar que a Natureza (que ele criou) tem o mesmo mau comportamento". À qual o ateu responderá — e quanto mais próximo ele estiver de Cristo em seu coração, mais certamente o fará: "Se existe um Deus assim, eu o desprezo e o desafio". Contudo, não estou dizendo que a Natureza, como a conhecemos agora, seja boa (esse é um ponto a que voltaremos em breve) nem estou dizendo que um Deus cujas ações não sejam melhores que as da Natureza seria um objeto adequado de adoração para qualquer homem honesto. O argumento aqui é um pouco mais distinto. Essa qualidade seletiva ou antidemocrática da Natureza, pelo menos na medida em que afeta a vida humana, não é boa nem má. De acordo com o espírito que explora ou deixa de explorar essa situação Natural, ela gera uma ou outra. Ela permite, por um lado, competição implacável, arrogância e inveja; e, por outro, modéstia e (um de nossos maiores prazeres) admiração. Um mundo em que eu fosse *de fato* (e não apenas por uma ficção jurídica útil) "tão bom quanto todos os outros", em que eu nunca admiraria alguém mais sábio, ou mais inteligente, ou mais corajoso, ou mais instruído do que eu, seria insuportável. Os próprios "fãs" das estrelas do cinema e dos famosos jogadores de futebol sabem muito bem que não desejam isso! O que a história cristã faz não é colocar no nível Divino a crueldade e o desperdício que já nos repugnam no Natural, mas mostrar-nos nos atos de Deus, que atua sem crueldade ou desperdício, o

---

argumentando racionalmente a partir da natureza, e não a partir da fé na doutrina da revelação.

mesmo princípio que está também na Natureza, embora cá embaixo, às vezes ele funcione de uma maneira e, às vezes, de outra. Isso ilumina a cena Natural, sugerindo que um princípio que inicialmente parecia sem sentido ainda pode ser derivado de um princípio que é bom e justo, que pode, na verdade, ser uma cópia depravada e borrada dele — a forma patológica que seria adotada em uma Natureza *deteriorada*.

Pois quando olhamos para a Seletividade que os cristãos atribuem a Deus, não encontramos nela nada do "favoritismo" de que tínhamos medo. O povo "escolhido" é escolhido não por si próprio (certamente não por sua própria honra ou por seu prazer), mas por causa do não escolhido. A Abraão é dito que por meio de "sua descendência" (a nação escolhida) "todos os povos da terra serão abençoados".[17] Essa nação foi escolhida para carregar um fardo pesado. Seus sofrimentos são grandes; mas, como Isaías reconheceu, seus sofrimentos curam outros.[18] Sobre a mulher, por fim, escolhida cai a maior profundidade de angústia materna. Seu Filho, o Deus encarnado, é um "homem de dores";[19] o único Homem para dentro de quem a Deidade desceu, o único Homem que pode ser legalmente adorado, ocupa o lugar mais elevado quanto ao sofrimento.

"Mas", você perguntará, "isso melhora as coisas? Isso não é ainda injustiça, embora agora seja o contrário?" Onde, à primeira vista, acusamos Deus de favor indevido a seus "escolhidos", agora somos tentados a acusá-lo de desfavor indevido. (É melhor desistir da tentativa de manter as duas

---
[17]*Gênesis 22:16-18.
[18]*Isaías 53:5 faz referência ao sacrifício do Messias, não aos sofrimentos de Israel, a descendência terrena de Abraão.
[19]*Isaías 53:3 (ACF).

acusações ao mesmo tempo.) E com certeza chegamos aqui a um princípio profundamente enraizado no cristianismo: aquele que pode ser chamado de princípio da *Vicariedade*. O Homem sem Pecado sofre pelos pecadores e, em certo grau, todos os homens bons por todos os homens maus. E essa Vicariedade — não menos que a Morte e o Renascimento ou a Seletividade — também é uma característica da Natureza. A autossuficiência, que é viver com os próprios recursos, é algo impossível em seu reino. Todas as coisas estão em dívida com todas as outras, são sacrificadas a todas as outras, são dependentes de todas as outras. E também aqui devemos reconhecer que o princípio em si mesmo não é nem bom nem ruim. O gato vive com o rato de uma maneira que acho ruim; as abelhas e as flores convivem de uma maneira mais agradável. O parasita vive em seu "hospedeiro", mas também o feto em sua mãe. Na vida social sem a Vicariedade, não haveria exploração ou opressão; mas também não haveria bondade ou gratidão. Ela é uma fonte de amor e ódio, de miséria e felicidade. Quando entendermos isso, não mais pensaremos que os exemplos depravados de Vicariedade na Natureza nos proíbem de supor que o próprio princípio seja de origem divina.

Nesse ponto, pode ser bom olhar para trás e observar como a doutrina da Encarnação já está agindo sobre o restante de nosso conhecimento. Já a colocamos em contato com outros quatro princípios: a natureza composta do homem, o padrão de descensão e reascensão, Seletividade e Vicariedade. O primeiro pode ser referenciado como fato sobre a fronteira entre Natureza e Sobrenatureza; os outros três são características da própria natureza. Note-se que as religiões, em sua maioria, quando confrontadas com os fatos da Natureza, simplesmente os reafirmam, dão-lhes (exatamente como estão) um prestígio transcendente, ou simplesmente os negam,

Milagres

prometendo libertar-nos desses fatos e da Natureza completamente. As Religiões da Natureza seguem a primeira linha. Elas santificam nossas preocupações agrícolas e, de fato, toda a nossa vida biológica. Ficamos muito embriagados na adoração de Dionísio e deitamos com mulheres de verdade no templo da deusa da fertilidade. Na adoração à Força Vital, que é o tipo moderno e ocidental de religião da Natureza, assumimos a tendência existente em direção ao "desenvolvimento" de crescente complexidade na vida orgânica, social e industrial, e fazemos dela um deus. As religiões antinaturais ou pessimistas, as que são mais civilizadas e sensíveis, como o budismo ou o mais elevado hinduísmo, nos dizem que a Natureza é má e ilusória, que há um modo de escapar dessa mudança incessante, dessa fornalha de luta e desejo. Nem uma nem outra coloca os fatos da Natureza sob uma nova luz. As religiões da Natureza meramente reforçam aquele entendimento sobre a Natureza que adotamos espontaneamente em nossos momentos de saúde rude e brutalidade alegre; as religiões antinaturais fazem o mesmo com a visão que assumimos em momentos de compaixão, meticulosidade ou lassidão. A doutrina cristã não faz nenhuma dessas coisas. Se alguém se aproximar desse assunto com a ideia de que, porque Javé é o Deus da fertilidade, nossa lascívia será autorizada ou que o método de Seletividade e Vicariedade de Deus nos desculpará por imitar (como "Heróis", "Super-homens"[20] ou parasitas sociais) a Seletividade e a Vicariedade mais baixas

---

[20]*Aparentemente, Lewis está fazendo referência ao livro *Heroes and Hero Worship* [Heróis e adoração ao herói] de Thomas Carlyle (1795–1881), historiador e ensaísta escocês, e ao conceito de super-homem apresentado por Friedrich Nietzsche (1844–1900), poeta, filólogo e filósofo alemão, em seu livro *Assim falou Zaratustra*.

O Grande Milagre

da Natureza, ficará atordoado e será repelido pela inflexível exigência cristã por castidade, humildade, misericórdia e justiça. Por outro lado, se entendermos a morte que precede todo renascimento, ou o fato da desigualdade, ou da nossa dependência dos outros e sua dependência de nós, como meras necessidades odiosas de um cosmos maligno, esperando sermos libertados para uma espiritualidade transparente e "iluminada", na qual todas essas coisas simplesmente desaparecem, ficaremos igualmente desapontados. Seremos informados de que, em certo sentido, e apesar das enormes diferenças, é "sempre a mesma coisa até o fim"; essa desigualdade hierárquica, a necessidade de autorrendição, o sacrifício voluntário de si mesmo pelos outros e a grata e amorosa (mas sem sentimento de vergonha) aceitação do sacrifício dos outros por nós dominam o reino além da Natureza. De fato, é apenas o amor que faz a diferença: todos esses mesmos princípios que são maus no mundo do egoísmo e da necessidade são bons no mundo do amor e do entendimento. Assim, ao aceitarmos essa doutrina do mundo superior, fazemos novas descobertas sobre o mundo inferior. É a partir daquela colina que primeiro entendemos realmente a paisagem deste vale. Aqui, por fim, encontramos (como não encontramos nas religiões da Natureza ou nas religiões que negam a Natureza) uma iluminação real: a Natureza está sendo iluminada por uma luz que vem de além da Natureza. Alguém está falando que sabe mais sobre ela do que pode ser conhecido estando dentro dela.

Ao longo dessa doutrina, é claro, está implícito que a Natureza está infestada com o mal. Esses grandes princípios-chave que existem como modos de bondade na Vida Divina assumem, quando ela opera, não apenas uma forma menos perfeita (a qual deveríamos, de qualquer modo, esperar), mas formas que fui levado a descrever como mórbidas ou depravadas. E essa depravação não poderia ser totalmente removida sem a drástica reformulação da Natureza. A virtude humana completa poderia, de fato, banir da vida humana todos os males que nela surgem da Vicariedade e da Seletividade e reter apenas o bem, mas o desperdício e a presença da dor da Natureza não humana permaneceriam — e, é claro, eles continuariam infectando a vida humana sob a forma de doença. E o destino que o cristianismo promete ao homem envolve claramente uma "redenção" ou um "refazer" da Natureza que não poderia parar no Homem, nem mesmo neste planeta. É-nos dito que "toda a criação" está em trabalho de parto e que o renascimento do Homem será o sinal para o dela.[21] Isso gera vários problemas, cuja discussão coloca toda a doutrina da Encarnação sob uma luz mais clara.

Em primeiro lugar, perguntamos como a Natureza criada por um Deus bom chegou a essa condição. Com isso, queremos perguntar como ela se tornou imperfeita — deixando "espaço para melhorias", como os professores dizem em seus relatórios — ou, então, como ela se tornou positivamente depravada. Se fizermos a pergunta no primeiro sentido, a resposta cristã (eu penso) é que Deus, desde o início, a criou de modo a alcançar sua perfeição por um processo no tempo. Ele fez uma Terra a princípio "sem forma e vazia"[22] e a levou gradualmente à perfeição. Nisso, como em outros lugares, vemos o padrão familiar: o descer de Deus para a Terra sem forma e o reascender daquela que é sem forma em Terra consumada. Nesse sentido, certo grau de "evolucionismo" ou "desenvolvimentismo" é inerente ao cristianismo. Isso quanto

---

[21]*Romanos 8:19-23.
[22]*Gênesis 1:1-2.

à imperfeição da Natureza; sua franca depravação exige uma explicação muito diferente. Segundo os cristãos, tudo isso se deve ao pecado: o pecado tanto dos homens quanto dos seres poderosos e não humanos, sobrenaturais, mas criados. A impopularidade dessa doutrina surge do amplamente espalhado Naturalismo de nossa época — a crença de que nada além da natureza existe e que, se algo mais houver, é protegido por uma Linha Maginot[23] — e desaparecerá à medida que esse erro for corrigido. De certo, a inquisição mórbida sobre esses seres que levaram nossos ancestrais a uma pseudociência da Demonologia deve ser severamente desencorajada: nossa atitude deve ser a do cidadão sensato em tempos de guerra que acredita que há espiões inimigos em nosso meio, mas não acredita em quase nenhuma história de espiões em particular. Devemos nos limitar à afirmação geral de que os seres de uma "Natureza" diferente e superior, que está *parcialmente* interligada com a nossa, como homens, caíram e mexeram indevidamente com coisas dentro de nossas fronteiras. A doutrina, além de provar-se frutífera do bem na vida espiritual de cada homem, ajuda a proteger-nos de visões superficialmente otimistas ou pessimistas da natureza. Chamá-la de "bem" ou "mal" é filosofia de meninos. Nós nos encontramos em um mundo de prazeres arrebatadores, belezas encantadoras e possibilidades tentadoras, mas todos são constantemente destruídos, todos vão dar em nada. A Natureza tem todo o ar de uma coisa boa estragada.

---

[23]*Enorme complexo de fortalezas militares interligadas, de cerca de 200 km de extensão, construída para proteger a França da invasão nazista. Seu nome vem de André Louis René Maginot, membro do Parlamento, lobista e Ministro da Guerra francês que a idealizou. A Linha Maginot, no entanto, foi facilmente derrotada quando os alemães, em lugar de enfrentá-la, contornaram-na, em 1940.

Milagres

O pecado, tanto dos homens como dos anjos, foi possibilitado pelo fato de que Deus lhes deu livre-arbítrio; entregou assim uma porção de sua onipotência (é novamente um movimento semelhante à morte ou ao descer) porque ele viu que, a partir de um mundo de criaturas livres, embora caídas, poderia produzir (e isso é o reascender) uma felicidade mais profunda e um esplendor mais pleno do que qualquer mundo de autômatos admitiria.

Outra questão que surge é a seguinte: se a redenção do Homem é o começo da redenção da Natureza como um todo, devemos, então, concluir que o Homem é a coisa mais importante da Natureza? Se eu tivesse de responder afirmativamente a essa pergunta, eu não ficaria envergonhado. Supondo que o Homem seja o único animal racional do universo, então (como foi mostrado) seu pequeno tamanho e o pequeno tamanho do globo em que ele habita não tornaria ridículo considerá-lo o herói do drama cósmico — afinal de contas, Jack é o menor personagem de *Jack, o caçador de gigantes*. Também não acho nem de longe improvável que o Homem seja de fato a única criatura racional nessa Natureza espaço-temporal. Esse é exatamente o tipo de preeminência solitária — apenas a desproporção entre imagem e moldura — que tudo o que sei da "Seletividade" da Natureza me levaria a antecipar. Mas não preciso assumir que ele realmente exista. Que o Homem seja apenas um dentre uma miríade de espécies racionais, e que ele seja a única espécie que caiu. Pelo fato de que ele caiu, para ele Deus faz a grande ação; assim como na parábola, é aquela ovelha perdida por quem o pastor procura.[24] Que a preeminência ou a solidão do Homem não seja resultado de superioridade, mas de miséria e maldade; então,

---

[24]*Lucas 15:3-7.

mais ainda, o Homem será a própria espécie sobre a qual a Misericórdia descerá. Por esse pródigo, o bezerro gordo, ou, para falar mais adequadamente, o Cordeiro eterno, é morto.[25] Mas, uma vez que o Filho de Deus, atraído até aqui não por nossos méritos, mas por nossa indignidade, tenha assumido a natureza humana, então, nossa espécie (o que quer que ela tenha sido antes) se torna, em certo sentido, o fato central em toda a Natureza: nossa espécie, erguendo-se após seu longo declínio, arrastará toda a Natureza consigo, porque em nossa espécie o Senhor da Natureza agora está incluído.

E seria tudo parte do que já sabemos se noventa e nove raças justas que habitam planetas distantes que circundam sóis distantes, e que não precisam de redenção por causa de seus próprios méritos, foram refeitas e glorificadas pela glória que desceu em nossa raça. Pois Deus não está meramente reparando, não está simplesmente restaurando um *status quo*. A humanidade redimida deve ser algo mais glorioso do que a humanidade não caída teria sido, mais gloriosa do que qualquer raça não caída agora é (se nesse momento o céu noturno oculta alguma dessas). Quanto maior o pecado, maior a misericórdia: quanto mais profunda a morte, mais brilhante o renascimento. E essa glória superadicionada exaltará, com verdadeira vicariedade, todas as criaturas e aqueles que nunca caíram bendirão a queda de Adão.

Escrevi até agora assumindo que a Encarnação foi ocasionada apenas pela Queda. Outro ponto de vista, é claro, às vezes é defendido pelos cristãos. Segundo eles, o descer de Deus à Natureza não foi ocasionado pelo pecado. Isso teria ocorrido para a Glorificação e Perfeição mesmo que não fosse

---

[25]*Referência a Lucas 15:21-24 e 1Pedro 1:19-20.

necessário para a Redenção. Suas circunstâncias correspondentes teriam sido muito diferentes: a humildade divina não teria sido uma humilhação divina, as dores, o fel e o vinagre, a coroa de espinhos e a cruz estariam ausentes. Se esse ponto de vista for adotado, claramente a Encarnação, onde e como tenha ocorrido, sempre teria sido o começo do renascimento da Natureza. O fato de ter ocorrido na espécie humana, invocada por aquele forte encantamento da miséria e abjeção ao qual o Amor se fez incapaz de resistir, não a privaria de seu significado universal.

Essa doutrina de uma redenção universal que se espalha a partir da redenção do Homem, mitológica como parecerá às mentes modernas, é, na realidade, muito mais filosófica do que qualquer teoria que sustente que Deus, tendo uma vez entrado na Natureza, deve deixá-la, e deixá-la substancialmente inalterada, ou que a glorificação de uma criatura poderia ser realizada sem a glorificação de todo o sistema. Deus nunca desfaz nada além do mal, nunca faz o bem para desfazê-lo depois. A união entre Deus e a Natureza na Pessoa de Cristo não admite divórcio. Ele não voltará a *sair* da natureza, e ela deve ser glorificada de todas as maneiras que essa união miraculosa exige. Quando chega a primavera, "não fica canto algum da terra intocado"; até uma pedrinha jogada em um lago envia círculos para a margem. A pergunta que queremos fazer sobre a posição "central" do homem nesse drama está realmente no mesmo nível da pergunta dos discípulos: "Qual deles seria o maior?"[26] É o tipo de pergunta a que Deus não responde. Se, do ponto de vista do Homem, a recriação da natureza não humana e até inanimada parece um mero subproduto da própria redenção dele, então, igualmente, procedendo de algum

---

[26]*Lucas 9:46.

O Grande Milagre

ponto de vista remoto e não humano, a redenção do Homem pode parecer meramente um ato preliminar da primavera mais amplamente difundida, e a própria permissão para a queda do Homem pode ter tido esse fim maior em vista. Ambas as atitudes serão corretas se consentirem em abandonar as palavras *mero* e *meramente*. No lugar onde um Deus que é totalmente intencional e totalmente previdente age sobre uma Natureza totalmente interligada, não pode haver acidentes ou pontas soltas, nada para o que possamos usar com segurança a palavra *meramente*. Nada é "meramente um subproduto" de qualquer outra coisa. Todos os resultados são pretendidos desde o seu início. O que é subserviente sob um ponto de vista é o objetivo principal sob outro. Nenhuma coisa ou acontecimento é o primeiro ou o mais elevado em um sentido que o proíba de ser também o último e o mais baixo. O parceiro que demonstra reverência ao Homem em um movimento da dança recebe as reverências do Homem em outro. Ser alto ou central significa abdicar continuamente; ser baixo significa ser erguido; todos os bons senhores são servos; Deus lava os pés dos homens.[27] Os conceitos que geralmente levamos à consideração sobre questões assim são miseravelmente políticos e prosaicos. Pensamos na maçante igualdade repetitiva e no privilégio arbitrário como as duas únicas alternativas — perdendo assim todas as nuances, o contraponto, a sensibilidade vibrante, as interinanimações[28] da realidade.

---

[27]*Referência a João 13:1-20.
[28]*Essa palavra, que significa "mútua inspiração", é considerada rara em inglês e não é dicionarizada em português. Parece ter sido cunhada, primeiramente na forma verbal, por John Donne (1572–1631), poeta inglês. Lewis também a usa em *Cartas a Malcolm* (Rio de Janeiro: Thomas Nelson Brasil, 2019, p. 127).

Milagres

Por esse motivo, não acho provável que tenha havido (como Alice Meynell sugeriu em um interessante poema)[29] muitas Encarnações para resgatar muitos tipos diferentes de criatura. A percepção que se tem de *estilo* — do idioma divino — o rejeita. A sugestão da produção em massa e de filas de espera vem de um nível de pensamento aqui irremediavelmente inadequado. Se outras criaturas naturais que não o Homem pecaram, devemos acreditar que são redimidas: mas a Encarnação de Deus como Homem será um ato único no drama da total redenção, e outras espécies terão testemunhado atos totalmente diferentes, cada um igualmente único, igualmente necessário e diferentemente necessário a todo o processo, e cada um (de certo ponto de vista) justificadamente considerado como "a grande cena" da peça. Para aqueles que vivem no Ato II, o Ato III parece um epílogo; para aqueles que vivem no Ato III, o Ato II parece um prólogo. E ambos estão certos até que acrescentem a fatal palavra *meramente*, ou então tentem evitá-la com a suposição de que os dois atos são iguais.

Deve-se notar nesse ponto que a doutrina cristã, se aceita, envolve um ponto de vista particular sobre a Morte. Existem duas atitudes em relação à Morte que a mente humana naturalmente adota. Uma é o ponto de vista elevado, que alcançou sua maior intensidade entre os Estoicos, de que a morte "não importa", que é "o sinal da amável natureza para retirar-se" e que devemos considerá-la com indiferença. O outro é o ponto de vista "natural", implícito em quase todas as

---

[29]*Alice Meynell (1847—1922), poeta e ensaísta inglesa católica romana. Lewis cita uma estrofe do mesmo poema, "Christ in the Universe" [Cristo no universo] no capítulo "Religião e foguetes" de *A última noite do mundo* (Rio de Janeiro: Thomas Nelson Brasil, 2018, p. 104).

O Grande Milagre

conversas particulares sobre o assunto e em muito do pensamento moderno acerca da sobrevivência da espécie humana, de que a Morte é o maior de todos os males: Hobbes[30] é, talvez, o único filósofo que montou um sistema sobre essa base. A primeira ideia simplesmente nega, a segunda simplesmente afirma, nosso instinto de autopreservação; nenhuma delas lança uma nova luz sobre a Natureza, e o cristianismo também não as favorece. Sua doutrina é mais sutil. Por um lado, a Morte é o triunfo de Satanás, a punição da Queda e o último inimigo.[31] Cristo derramou lágrimas no túmulo de Lázaro e suou sangue no Getsêmani:[32] a Vida de Vidas que estava nele detestava essa obscenidade penal, não menos do que nós, e sim mais. Por outro lado, somente quem perde a vida a salvará.[33] Somos batizados na *morte* de Cristo[34], e isso é o remédio para a Queda. A Morte é, de fato, o que algumas pessoas modernas chamam de "ambivalente". É a grande arma de Satanás e também a grande arma de Deus: ela é santa e profana; nossa suprema desgraça e nossa única esperança; a coisa que Cristo veio conquistar e o meio pelo qual ele a conquistou.

É claro que penetrar em todo esse mistério está muito além de nosso poder. Se o padrão de Descender e Reascender é (como parece provável ser) a própria fórmula da realidade, então, no mistério da Morte, o segredo dos segredos está oculto. Contudo, algo deve ser dito a fim de colocar o Grande Milagre na devida perspectiva. Não precisamos discutir a Morte no

---

[30]*Thomas Hobbes (1588—1679), filósofo e teórico político inglês.
[31]*Referência a 1Coríntios 15:26.
[32]*João 11:32-35; Lucas 22:44.
[33]*Lucas 17:33.
[34]*Romanos 6:3.

mais alto de todos os níveis: a matança mística do Cordeiro "antes da fundação do mundo"[35] está acima de nossas especulações. Nem precisamos considerar a Morte no nível mais baixo. A morte de organismos que nada mais são do que organismos que não desenvolveram personalidade não nos interessa. Sobre isso, podemos sem dúvida dizer, como algumas pessoas espiritualmente dispostas nos diriam sobre a morte humana, que isso "não importa". Contudo a surpreendente doutrina cristã sobre a Morte humana não pode ser ignorada.

A Morte humana, segundo os cristãos, é resultado do pecado humano; o Homem, como originalmente criado, estava imune a ela. O Homem, quando redimido e chamado de volta para uma nova vida (que, em certo sentido indefinido, será uma vida corporal) em meio a uma Natureza mais orgânica e mais plenamente obediente, será uma vez mais imune a isso.[36] É claro que essa doutrina é de todo absurda se um homem não passa de um organismo Natural. Contudo, se ele o fosse, então, como vimos, todos os pensamentos seriam igualmente absurdos, pois todos teriam causas irracionais. O homem deve, portanto, ser um ser composto — um organismo natural ocupado por, ou em estado de *simbiose* com, um espírito sobrenatural. A doutrina cristã, por mais surpreendente que pareça para aqueles cujas mentes não foram limpas do Naturalismo, afirma que as relações que agora observamos entre esse espírito e esse organismo são anormais ou patológicas. Hoje em dia, o espírito pode manter sua posição segura diante dos incessantes contra-ataques da Natureza (tanto fisiológicos como psicológicos) apenas por perpétua vigilância, e a Natureza fisiológica sempre a derrota

---

[35]*Apocalipse 13:8; 1Pedro 1:19-20.
[36]*Apocalipse 20:14.

O Grande Milagre

no final. Mais cedo ou mais tarde, ela se torna incapaz de resistir aos processos de desintegração em ação no corpo, e a morte ocorre. Um pouco mais tarde, o organismo Natural (pois ele não desfruta por muito tempo de seu triunfo) é igualmente conquistado pela Natureza meramente física e retorna ao inorgânico. Contudo, no ponto de vista cristão, isso nem sempre foi assim. O espírito em certo tempo não era uma guarnição, mantendo seu posto com dificuldade em uma Natureza hostil, mas estava totalmente "em casa" com seu organismo, como um rei em seu próprio país ou um cavaleiro em seu próprio cavalo — ou melhor ainda, como a parte humana de um Centauro estava "em casa" com a parte equina. Onde o poder do espírito sobre o organismo era completo e sem resistência, a morte nunca ocorreria. Sem dúvida, o triunfo permanente do espírito sobre as forças naturais que, se deixadas por si mesmas, matariam o organismo, envolveria um milagre contínuo; mas apenas o mesmo tipo de milagre que ocorre todos os dias — pois, sempre que pensamos racionalmente, estamos, por meio do poder espiritual direto, forçando certos átomos em nosso cérebro e certas tendências psicológicas em nossa alma natural a fazer o que nunca teriam feito se deixadas à Natureza. A doutrina cristã seria fantástica apenas se a atual situação de fronteira entre espírito e Natureza em cada ser humano fosse tão inteligível e autoexplicativa que logo "veríamos" que ela era a única que jamais poderia existir. Mas é assim?

Na realidade, a situação de fronteira é tão estranha que nada além do costume pode fazê-la parecer natural, e nada a não ser a doutrina cristã pode torná-la totalmente inteligível. Certamente há um estado de guerra; mas não uma guerra de destruição mútua. A Natureza, ao dominar o espírito, destrói todas as atividades espirituais; o espírito, ao dominar a natureza, confirma e melhora as atividades naturais. O cérebro não se torna menos cérebro por ser usado para o pensamento racional. As emoções não se tornam fracas ou cansadas ao serem organizadas a serviço de uma vontade moral — na verdade, ficam mais ricas e fortes, como uma barba é fortalecida ao ser barbeada ou um rio é aprofundado ao ser cercado por um dique. O corpo do homem razoável e virtuoso, mantendo-se igual a outras coisas, é um corpo melhor do que o do tolo ou o do devasso, e seus prazeres sensuais são melhores apenas como prazeres sensuais, pois os escravos dos sentidos, após a primeira isca, são subjugados pela fome por seus senhores. Tudo acontece como se o que vemos não fosse guerra, mas rebelião; aquela rebelião do inferior contra o superior, pela qual o inferior destrói tanto o superior quanto a si mesmo. E, se a situação atual é de rebelião, a razão não pode rejeitar, mas exigirá a crença de que houve um tempo antes de a rebelião eclodir e que pode haver um tempo depois de ter sido resolvida. E, se vemos, assim, motivos para crer que o espírito sobrenatural e o organismo natural do Homem brigaram, nós o teremos imediatamente confirmado por duas vias bastante inesperadas.

Quase toda a teologia cristã talvez pudesse ser deduzida a partir de dois fatos: (a) os homens fazem piadas grosseiras; e (b) eles sentem que os mortos são estranhos. A piada grosseira proclama que temos aqui um animal que considera a própria animalidade questionável ou engraçada. A menos que houvesse uma briga entre o espírito e o organismo, não vejo como isso poderia ser assim: é a própria marca de que os dois não estão "em casa" juntos. Contudo, é muito difícil imaginar tal estado de coisas como original — imaginar uma criatura que, desde o início, ficou meio chocada e quase morreu de rir pelo simples fato de ser a criatura que é. Não

O Grande Milagre

percebo os cães acharem graça em ser cães; suspeito que os anjos não veem nada de engraçado em ser anjos. Nosso sentimento sobre os mortos é igualmente estranho. É inútil dizer que não gostamos de cadáveres porque temos medo de fantasmas. Você pode dizer com igual verdade que tememos fantasmas porque não gostamos de cadáveres — pois o fantasma deve muito de seu horror às ideias associadas de palidez, decadência, caixões, mortalhas e vermes. Na realidade, odiamos a divisão que possibilita a concepção de cadáver ou de fantasma. Porque a coisa não deveria ser dividida, cada uma das metades que ela se torna por divisão é detestável. As explicações que o Naturalismo dá tanto à vergonha do corpo quanto a nosso sentimento sobre os mortos não são satisfatórias. Elas se referem a tabus e superstições primitivas que temos — como se eles próprios não fossem obviamente resultados da coisa a ser explicada. Mas, uma vez aceita a doutrina cristã de que o homem era originalmente uma unidade e que a atual divisão é antinatural, e todos os fenômenos se encaixam. Seria fantástico sugerir que a doutrina foi criada para explicar nosso prazer em um capítulo de Rabelais, uma boa história de fantasma ou os *Contos* de Edgar Allan Poe.[37] E isso é exatamente assim.

Talvez eu deva salientar que o argumento não é afetado pelos julgamentos de valor que fazemos sobre histórias de

---

[37]*François Rabelais (1493—1553), padre, médico e escritor francês. Suas obras mais conhecidas são *Gargantua* e *Pantagruel*, respectivamente pai e filho, gigantes de descomunal apetite, cujas funções naturais são detalhadamente descritas pelo autor. Edgar Allan Poe (1809—1849), poeta, escritor, crítico literário e editor americano, conhecido pelas histórias de mistério e horror. Muitas coletâneas de seus contos foram publicadas, com diferentes nomes. O primeiro autor ilustra o apreço pelas "piadas grosseiras"; o segundo, a "estranheza" dos mortos.

fantasmas ou humor grosseiro. Você pode sustentar que ambos são ruins; que ambos, embora resultem (como as roupas) da Queda, sejam (como as roupas) a maneira correta de lidar com a Queda, uma vez que ela tenha ocorrido; que, embora o Homem aperfeiçoado e recriado não vai mais desejar experimentar esse tipo de humor ou esse tipo de arrepio, mas neste momento da história não sentir o arrepio e não ver a piada é ser menos que humano. De qualquer maneira, os fatos testemunham nosso atual desajuste.

É nesse sentido que a Morte humana é o resultado do pecado e o triunfo de Satanás; mas também é o meio de redenção do pecado, o remédio de Deus para o Homem e sua arma contra Satanás. De um modo geral, não é difícil entender como a mesma coisa pode ser um golpe de mestre da parte de um combatente e também o meio pelo qual o combatente superior derrota-o. Todo bom general, todo bom jogador de xadrez, pega o que é precisamente o ponto forte do plano do oponente e o torna o pivô do próprio plano. "Pegue essa minha torre, se você insistir. Não era minha intenção original que você o fizesse — de fato, pensei que você teria mais bom senso, mas aceite-a de qualquer modo. Por enquanto eu me movo assim... e assim... e é xeque-mate em três movimentos." Algo assim deve ter acontecido sobre a Morte. Não diga que essas metáforas são triviais demais para ilustrar uma questão tão elevada: as metáforas mecânicas e minerais despercebidas que, nesta era, dominarão nossa mente (sem serem reconhecidas como metáforas) no momento em que relaxarmos nossa vigilância contra elas, devem ser incomparavelmente menos adequadas.

E é possível ver como isso pode ter acontecido. O Inimigo persuade o Homem a se rebelar contra Deus: ao fazê-lo, o Homem perde o poder de controlar a outra rebelião que

O Grande Milagre

o Inimigo agora suscita no organismo do Homem (tanto psíquico como físico) contra o espírito do Homem; da mesma forma, esse organismo, por sua vez, perde poder de se manter firme contra a rebelião do que é inorgânico. Dessa maneira, Satanás produziu a Morte humana. Mas, quando Deus criou o Homem, ele lhe deu uma constituição que, se a parte mais elevada dela se rebelasse contra si mesma, seria obrigada a perder o controle sobre as partes inferiores: desse modo, no longo prazo, sofrer a Morte. Essa disposição pode ser considerada igualmente como uma sentença punitiva ("Não coma da árvore do conhecimento do bem e do mal, porque no dia em que dela comer, certamente você morrerá"),[38] como uma misericórdia e como um dispositivo de segurança. É uma punição porque a Morte — aquela Morte da qual Marta diz a Cristo: "Senhor, ele já *cheira mal*"[39] — é horror e ignomínia. ("Não tenho tanto medo da morte quanto vergonha dela", disse Sir Thomas Browne.)[40] É misericórdia, porque, por vontade e humilde rendição a ela, o Homem desfaz o próprio ato de rebelião e faz até mesmo desse modo de Morte depravado e monstruoso um exemplo daquela Morte superior e mística que é eternamente boa e um ingrediente necessário para a vida mais elevada. "O principal é estarmos preparados"[41] — não, é claro, a prontidão meramente heroica, mas a

---

[38]*Gênesis 2:17.
[39]*João 11:39b.
[40]*Sir Thomas Browne (1605—1682), polímata e escritor inglês. A citação é de sua obra mais conhecida: o livro de reflexões *Religio Medici* [Religião de um médico] (1643).
[41]William Shakespeare, *Hamlet*, Ato V, Cena II: "Se tem de ser já, não será depois; se não for depois, é que vai ser agora; se não for agora, é que poderá ser mais tarde. O principal é estarmos preparados" (tradução de Carlos Alberto Nunes).

da humildade e da renúncia própria. Nosso inimigo, tão bem-vindo, torna-se nosso servo: a Morte corporal, o monstro, torna abençoada a Morte espiritual para o ego, se o espírito assim o desejar — ou melhor, se permitir que o Espírito do Deus que morre deseje isso. É um dispositivo de segurança porque, uma vez que o Homem tenha caído, a imortalidade natural seria o único destino totalmente sem esperança para ele. Ajudado na rendição que ele deve fazer por não haver nenhuma necessidade externa da Morte, livre (se você chama de liberdade) para prender cada vez mais rápido a si mesmo, através de séculos intermináveis, as correntes do próprio orgulho e da luxúria e dos pesadelos que as civilizações constroem em poder e complicação cada vez maiores, ele passaria de ser meramente um homem caído a ser um demônio, possivelmente além de todas as possibilidades de redenção. Esse perigo foi evitado. A sentença de que aqueles que comessem do fruto proibido seriam afastados da Árvore da Vida estava implícita na natureza composta com a qual o Homem foi criado. Mas, no intuito de converter essa morte penal nos meios para se obter a vida eterna — para adicionar uma função positiva e salvadora a sua função negativa e preventiva —, era ainda necessário que a morte fosse *aceita*. A humanidade deve acolher a morte livremente, submeter-se a ela com total humildade, beber até as borras, e então convertê-la na morte mística que é o segredo da vida. Mas apenas um Homem que nem precisava ter sido um Homem a menos que tivesse escolhido sê-lo, apenas um que serviu em nosso triste regimento como voluntário, mas também apenas um que era perfeitamente Homem, poderia realizar essa morte perfeita; e assim (mesmo que você diga que é sem importância) ou derrota a morte ou a redime. Ele provou a morte em nome de todos os outros. Ele é o representante "Mortal" do universo, e, por

O Grande Milagre

isso mesmo, a Ressurreição e a Vida.[42] Ou, inversamente, porque ele realmente vive, ele realmente morre, pois esse é o próprio padrão da realidade. Porque o superior pode descer até o inferior, Aquele que, por toda a eternidade, lançou-se incessantemente na bendita morte da autorrendição ao Pai, também pode descer totalmente à horrível e (para nós) involuntária morte do corpo. Porque a Vicariedade é o próprio idioma da realidade que ele criou, sua morte pode se tornar nossa. Todo o Milagre, longe de negar o que já sabemos da realidade, escreve o comentário que torna esse texto muito claro: ou melhor, prova ser o texto sobre o qual a Natureza era apenas o comentário. Na ciência, lemos apenas as anotações sobre um poema; no cristianismo, encontramos o próprio poema.

Com isso, nosso esboço do Grande Milagre pode terminar. Sua credibilidade não reside na Obviedade. Pessimismo, Otimismo, Panteísmo, Materialismo: todos têm essa atração "óbvia". Cada um é confirmado à primeira vista por uma infinidade de fatos; mais tarde, cada um se depara com obstáculos insuperáveis. A doutrina da Encarnação opera em nossa mente de maneira bem diferente. Ele escava abaixo da superfície, trabalha por meio do restante de nosso conhecimento por canais inesperados, harmoniza-se melhor com nossas apreensões mais profundas e nossos "segundos pensamentos" e, em união com eles, enfraquece nossas opiniões superficiais. Ela pouco tem a dizer ao homem que ainda tem certeza de que tudo terminará em ruína, ou que tudo está ficando cada vez melhor, ou que tudo é Deus, ou que tudo é eletricidade. Chegou a hora em que esses credos por atacado começaram

---

[42]*João 11:25.

Milagres

a falhar conosco. Se a coisa realmente aconteceu é uma questão histórica. Mas, quando você se volta para a história, não exigirá para isso o tipo e o grau de evidência que, com razão, exigiria por algo intrinsecamente improvável; apenas o tipo e o grau que você exige de algo que, se aceito, ilumina e ordena todos os outros fenômenos, explica tanto nossa risada como nossa lógica, nosso medo dos mortos e nosso conhecimento de que de alguma forma é bom morrer, e que de um só golpe cobre o que multidões de teorias separadas dificilmente cobrirão para nós se essa for rejeitada.

CAPÍTULO 15

Milagres da velha criação

"O Filho não pode fazer nada por si mesmo; só pode fazer o que vê o Pai fazer."

João 5:19

Se abrirmos livros como *Contos de Grimm*, ou *Metamorfoses*, de Ovídio, ou as epopeias italianas,[1] nós nos encontraremos em um mundo de milagres tão diversos que seria difícil classificá-los. Os animais se transformam em homens, e estes, em bestas ou árvores; as árvores falam, os navios se tornam

---

[1]*Os irmãos Jacob Ludwig Carl Grimm (1785—1863) e Wilhelm Carl Grimm (1786—1859), linguistas e escritores alemães, publicaram, em 1812, uma coleção de contos populares conhecida por *Contos de Grimm*. Ao contrário do uso e das versões atuais, as histórias originais nada tinham de infantis, sendo, antes, uma antologia acadêmica para estudiosos da cultura alemã. *Metamorfoses*, de Públio Ovídio Nasão (43 a.C.—17? d.C.), poeta romano, destaca-se por sua extensão e pela forma poética adotada, inovadora para o gênero épico. Lewis cita dois poetas italianos, autores de epopeias, no cap. 6, "Sobre gostos infantis", de *Reflexões cristãs* (Rio de Janeiro: Thomas Nelson Brasil, 2018): Mateus Maria Boiardo (1441—1494), autor de *Orlando enamorado*, e Ludovico Ariosto (1552—1599), autor de *Orlando furioso*, continuação da obra de Boiardo.

Milagres

deusas, um anel mágico pode fazer com que mesas ricamente repletas de comida apareçam em lugares solitários. Algumas pessoas não suportam esse tipo de história; outras, acham-no divertido. Contudo, a menor suspeita de que essas histórias seriam verdade transformaria a diversão em pesadelo. Se essas coisas realmente acontecessem, elas, suponho, mostrariam que a Natureza estava sendo invadida. E mostrariam que ela estava sendo invadida por um poder estranho. A adequação dos milagres cristãos, e sua diferença em relação a esses milagres mitológicos, reside no fato de que eles mostram a invasão de um Poder que não é estranho. Eles são o que se poderia esperar que acontecesse quando ela fosse invadida não apenas por um deus, mas pelo Deus da Natureza: um Poder que está fora da jurisdição dela não como estrangeiro, mas como soberano. Esses milagres proclamam que Aquele que veio não é apenas um rei, mas *o* Rei, Rei da natureza e nosso.

É isso que, a meu ver, coloca os milagres cristãos em uma classe diferente da maioria dos outros milagres. Não acho que seja dever de um apologista cristão (como muitos céticos supõem) refutar todas as histórias de milagres que estão fora dos registros cristãos, nem de um homem cristão deixar de crer nelas. Não estou de forma alguma comprometido com a afirmação de que Deus nunca fez milagres por meio de pagãos e para eles ou nunca permitiu que seres sobrenaturais criados o fizessem. Se, como Tácito, Suetônio e Dião Cássio relatam, Vespasiano[2] realizou duas curas, e se os médicos

---

[2]*Públio (Caio) Cornécio Tácito (c. 56—c. 117), historiador e senador romano. Suas obras mais conhecidas são *Anais* e *Histórias*. Caio Suetônio Tranquilo (69—121?), historiador romano, autor de *A vida dos doze césares*. Dião Cássio (c. 155—c. 229), historiador e funcionário público romano, autor de *História de Roma*, em 80 volumes. Tito Flávio Vespasiano (9—79), imperador romano. Foi no Egito, onde teria realizado um dos alegados

modernos me dizem que elas não poderiam ter sido realizadas sem um milagre, não tenho objeções. Contudo, eu afirmo que os milagres cristãos têm uma probabilidade intrínseca muito maior em virtude de sua ligação orgânica entre si e com toda a estrutura da religião que exibem. Se for possível demonstrar que determinado imperador romano — e, admitamos, um imperador bastante bom entre imperadores — já teve a autorização para fazer um milagre, devemos, é claro, tolerar o fato. Ainda assim permaneceria um fato bastante isolado e anômalo. Nada provém disso, nada leva a isso, e isso não estabelece nenhum corpo de doutrina, não explica nada, não está relacionado a nada. E esse, afinal de contas, é um exemplo excepcionalmente favorável de um milagre não cristão. As interferências imorais, e às vezes quase idiotas, atribuídas aos deuses nas histórias pagãs, mesmo que tivessem um traço de evidência histórica, só poderiam ser aceitas com a condição de aceitarmos um universo totalmente sem sentido. Aquilo que levanta dificuldades infinitas e não resolve nenhuma será crido por um homem racional apenas sob compulsão absoluta. Às vezes, a credibilidade dos milagres está na proporção inversa da credibilidade da religião. Assim, milagres são (em documentos recentes, creio) registrados sobre o Buda.[3]

---

milagres, que surgiram histórias a respeito de sua divindade, a qual o próprio imperador fez questão de propagar. Os dois primeiros historiadores foram beneficiados financeiramente para falar bem de Vespasiano e criticar seus antecessores.
[3]*Sidarta Gautama nasceu no quinto ou no sexto século a.C. Quando Gautama tinha poucos dias de vida, um homem santo profetizou que ele seria um grande líder espiritual. Na juventude, tornou-se peregrino. Sentado debaixo de uma figueira sagrada, em meditação, teria enfrentado uma batalha contra Mara, um demônio que representa as paixões enganadoras. Ao vencer, Sidarta recebeu a Iluminação e se tornou um Buda, ou seja, "uma pessoa que alcançou a plena iluminação".

Milagres

Contudo, o que poderia ser mais absurdo do que aquele que veio para nos ensinar que a Natureza é uma ilusão da qual devemos escapar se ocupasse em produzir efeitos no nível Natural — que aquele que vem para nos despertar de um pesadelo *aumentasse* o pesadelo? Quanto mais respeitamos seu ensino, menos aceitamos seus milagres. Mas, no cristianismo, quanto mais entendemos que é dito de Deus que ele está presente e o propósito para o qual ele disse ter aparecido, mais críveis os milagres se tornam. É por isso que raramente encontramos os milagres cristãos negados, exceto por aqueles que abandonaram alguma parte da doutrina cristã. A mente que pede um cristianismo não milagroso é uma mente em processo de recaída do cristianismo para a mera "religião".[4]

---

[4] Uma consideração sobre milagres do Antigo Testamento está além do escopo deste livro e exigiria muitos tipos de conhecimento que não possuo. Meu ponto de vista atual — que é provisório e passível de qualquer correção — é que, assim como, do lado factual, uma longa preparação culmina em Deus encarnando-se como Homem, então, no lado documental, a verdade aparece pela primeira vez em forma mítica e depois, por um longo processo de condensação ou enfoque, finalmente se encarna como História. Isso envolve a crença de que o Mito em geral não é apenas história mal compreendida (como pensava Evêmero) [Evêmero de Messina, filósofo grego do quarto século a.C., dizia que os deuses mitológicos eram personagens humanos que haviam sido divinizados pelos homens] nem ilusão diabólica (como alguns dos Pais da Igreja pensavam) nem mentira sacerdotal (como os filósofos do Iluminismo pensavam), mas, na melhor das hipóteses, um pensamento real de um vislumbre desfocado da verdade divina caindo na imaginação humana. Os hebreus, como outros povos, tinham mitologia; mas, como eles eram o povo escolhido, sua mitologia foi a mitologia escolhida — a mitologia escolhida por Deus para ser o veículo das primeiras verdades sagradas, o primeiro passo naquele processo que termina no Novo Testamento, no qual a verdade se tornou completamente histórica. Se podemos dizer com certeza onde, nesse processo de cristalização, qualquer história particular do Antigo Testamento se encaixa é outra questão. Suponho que as memórias da corte de Davi estão em um extremo

Milagres da velha criação

Os milagres de Cristo podem ser classificados de duas maneiras. O primeiro sistema permite as classes (1) Milagres de Fertilidade, (2) Milagres de Cura, (3) Milagres de Destruição, (4) Milagres de Domínio sobre o Inorgânico, (5) Milagres de Reversão e (6) Milagres de Aperfeiçoamento ou Glorificação. O segundo sistema, que atravessa o primeiro, permite apenas duas classes: elas são (1) Milagres da Velha Criação e (2) Milagres da Nova Criação.

Afirmo que em todos esses milagres, o Deus encarnado faz repentinamente e localmente algo que Deus fez ou fará em geral. Cada milagre escreve para nós em letras minúsculas algo que Deus já escreveu, ou vai escrever, em letras quase grandes demais para serem notadas, em toda a tela da Natureza. Eles se concentram em um ponto particular nas presentes, ou futuras, operações de Deus no universo. Quando reproduzem operações que já vimos em grande escala, eles são milagres da Velha Criação; quando focam aquilo que ainda está por vir, eles são milagres da Nova. Nenhum deles é isolado ou anômalo: cada um traz a assinatura do Deus a quem conhecemos

---

da escala e são pouco menos históricas do que *o Evangelho de Marcos* ou *Atos*; e que o *Livro de Jonas* está na extremidade oposta. Deve-se notar que nesse entendimento, (a) Assim como Deus, ao se tornar Homem, é "esvaziado" de Sua glória, assim a verdade, quando desce do "céu" do mito para a "terra" da história, sofre certa humilhação. Consequentemente, o Novo Testamento é, e deve ser, mais prosaico, em alguns aspectos menos esplêndido, do que o Antigo; assim como o Antigo Testamento é e deve ser menos rico em muitos tipos de beleza imaginativa do que as mitologias pagãs. (b) Assim como Deus não é menos Deus por ser Homem, assim o Mito permanece Mito mesmo quando se torna Fato. A história de Cristo exige de nós, e compensa, não apenas uma resposta religiosa e histórica, mas também imaginativa. Ela é dirigida à criança, ao poeta e ao selvagem em nós, bem como à consciência e ao intelecto. Uma de suas funções é derrubar paredes de divisão.

pela consciência e a partir da Natureza. A autenticidade deles é atestada pelo *estilo* [do Autor].

Antes de prosseguir, devo dizer que não me proponho questionar, o que já foi feito, se Cristo foi capaz de fazer essas coisas apenas porque era Deus ou também porque era Homem perfeito; pois é um ponto de vista possível que, se o Homem nunca tivesse caído, todos os homens teriam sido capazes de fazer a mesma coisa. É uma das glórias do cristianismo podermos dizer sobre essa questão: "Não importa." Quaisquer que tenham sido os poderes do homem não caído, parece que os do Homem redimido serão quase ilimitados.[5] Cristo, reascendendo de sua grande submersão, está levando consigo a Natureza Humana. Para onde ele vai, ela também vai. Será feita "como ele".[6] Se em seus milagres ele não está agindo como o Velho Homem poderia ter agido antes da Queda, então, ele está agindo como o Novo Homem, todo novo homem, agirá após a redenção. Quando a humanidade, carregada em seus ombros, passar com ele da água escura e fria para a água cálida e clara e finalmente sair para a luz do sol e o ar, ela também será brilhante e colorida.

Outra maneira de expressar o caráter real dos milagres seria dizer que, embora isolados de outras ações, eles não estão isolados em nenhuma das duas maneiras que podemos supor. Eles não estão, por um lado, isolados de outros atos divinos: eles são, em escala reduzida e próxima e, por assim dizer, em foco, o que Deus em outras ocasiões faz de modo tão vasto que os homens não prestam atenção a isso. Tampouco estão, exatamente como supomos, isolados de outros atos humanos: eles antecipam

---
[5]*Mateus 27:20; 21:21; Marcos 11:23; Lucas 10:19; João 14:12; 1Coríntios 3:22; 2Timóteo 2:12.
[6]Filipenses 3:21; 1João 3:12.

poderes que todos os homens terão quando também forem "filhos" de Deus e entrarem nessa "gloriosa liberdade".[7] O isolamento de Cristo não é de um prodígio, mas de um pioneiro. Ele é o primeiro de sua espécie; ele não será o último.

Voltemos à nossa classificação e, primeiramente, aos Milagres de *Fertilidade*. O primeiro deles foi a conversão da água em vinho na festa de casamento em Caná.[8] Esse milagre proclama que o Deus de todo vinho está presente. A videira é uma das bênçãos enviadas por Javé: ele é a realidade por trás do falso deus Baco. Todos os anos, como parte da ordem Natural, Deus faz o vinho. Ele faz isso criando um organismo vegetal que pode transformar água, solo e luz do sol em um suco que, sob condições adequadas, se tornará vinho. Assim, em certo sentido, ele constantemente transforma água em vinho, pois o vinho, como todas as bebidas, é nada além de água modificada. Uma vez, e em um ano específico apenas, Deus, agora encarnado, encurta o processo: faz vinho em um momento; usa potes de barro em vez de fibras vegetais para reter a água. Mas ele os usa para fazer o que está sempre fazendo. O milagre consiste no atalho; mas o acontecimento a que isso leva é o usual. Se a coisa aconteceu, então sabemos que o que entrou na Natureza não foi nenhum espírito antinatural, nenhum deus que ama tragédias e lágrimas e jejum *por elas mesmas* (embora ele possa permitir ou exigir isso para propósitos especiais), mas o Deus de Israel, o qual, ao longo de todos esses séculos, nos deu o vinho para alegrar o coração do homem.[9]

Outros milagres que se enquadram nessa classe são os dois casos de alimentação miraculosa. Eles envolvem

---

[7]*Referência a Hebreus 6:5; Romanos 8:21-23.
[8]*João 2.
[9]Referência a Salmos 104:14-15.

Milagres

a multiplicação de um pouco de pão e um pouco de peixe em muito pão e muito peixe. Em certa ocasião no deserto, Satanás tentou o Cristo a fazer pão de pedras: ele recusou a sugestão. "O Filho [...] só pode fazer o que vê o Pai fazer"[10]: talvez alguém possa, sem ousadia, supor que a transformação direta de pedra em pão tenha parecido ao Filho algo que não estava exatamente de acordo com o estilo hereditário. Pouco pão em muito pão é uma questão bem diferente. Todos os anos Deus transforma um pouco de trigo em muito trigo: a semente é lançada e há um aumento. E os homens dizem, de acordo com suas várias tendências: "são as leis da Natureza", ou: "É Ceres, é Adônis, é o Rei do Trigo". Contudo, as leis da Natureza são apenas um padrão: nada virá delas a menos que possam, por assim dizer, assumir o controle do universo e fazê-lo como uma empresa a funcionar. E, quanto a Adônis, nenhum homem pode-nos dizer onde ele morreu ou quando ressuscitou. Aqui, alimentando os cinco mil, está Aquele a quem adoramos ignorantemente: o *verdadeiro* Rei do Trigo que morrerá uma vez e se levantará uma vez em Jerusalém durante o mandato de Pôncio Pilatos.

Naquele mesmo dia, ele também multiplicou os peixes. Observe cada baía e quase todos os rios. Essa fecundidade fervilhante e ondulante mostra que ele ainda está trabalhando, "enchendo os mares com inúmeros descendentes".[11] Os antigos tinham um deus chamado Gênio[12]; o deus da fertilidade

---

[10] João 5:19.
[11] Citação do poema *"Comus"*, v. 713, de John Milton (1608—1674), poeta e historiador inglês, autor de Paraíso perdido.
[12] *Jinn*, em árabe, era, na mitologia pré-islâmica, uma entidade sobrenatural, boa ou má, que vivia em um mundo entre o angélico e o humano. Na mitologia romana, era um espírito guardião que acompanhava a pessoa do nascimento à morte.

dos animais e da humanidade, o patrono da ginecologia, da embriologia e do leito matrimonial — o leito "genial", como o chamavam em homenagem ao seu deus Gênio. Contudo, o Gênio é apenas outra máscara para o Deus de Israel, pois foi este que no início ordenou que todas as espécies fossem férteis, multiplicassem-se e enchessem a terra.[13] E, naquele dia, ao alimentar milhares, Deus encarnado fez o mesmo: de modo semelhante e em pequena escala, sob suas mãos humanas, mãos de trabalhador, fez o que sempre fizera nos mares, nos lagos e nos riachos.

Com isso, estamos no limiar daquele milagre que, por alguma razão, mostra-se o mais difícil de aceitar para a mente moderna. Posso entender o homem que nega totalmente os milagres; mas o que se deve fazer com pessoas que acreditam em outros milagres e "traçam o limite" no Nascimento Virginal? Será que, apesar de todo o seu culto da boca para fora às leis da Natureza, há apenas um processo natural no qual eles realmente acreditam? Ou será que eles pensam que veem nesse milagre uma injúria sobre o intercurso sexual (embora também possam ver na alimentação de cinco mil um insulto aos padeiros) e que o intercurso sexual é a única coisa que ainda é venerada nessa época invenerável? Na realidade, o milagre não é menos, nem mais, surpreendente que qualquer outro.

Talvez a melhor maneira de tratar dele seja tomando como ponto de partida o comentário que vi em um dos mais arcaicos de nossos artigos antideus. A observação era que os cristãos acreditavam em um Deus que havia "cometido adultério com a esposa de um carpinteiro judeu". O escritor provavelmente estava apenas "desabafando" e não pensava realmente que Deus, na história cristã, havia assumido a forma humana

---

[13]*Gênesis 1:22,28.

Milagres

e se deitado com uma mortal, como Zeus fez com Alcmena.[14] Mas, se alguém tivesse que responder a essa pessoa, teria de dizer que se alguém chamasse a concepção miraculosa de adultério divino, seria levado a encontrar um adultério divino semelhante na concepção de cada criança — não, de cada animal também. Lamento usar expressões que ofendam ouvidos piedosos, mas não sei de que outra forma apresentar meu ponto de vista.

Em um ato normal de geração, o pai não tem função criativa. Uma partícula microscópica de matéria vinda do corpo dele e uma partícula microscópica vinda do corpo da mulher se encontram. E com isso ali são passados a cor dos cabelos do pai e o lábio inferior caído do avô dela e a forma da humanidade em toda a sua complexidade de ossos, tendões, nervos, fígado e coração, e a forma daqueles organismos pré-humanos que o embrião vai recapitular no útero. Por trás de cada espermatozoide está toda a história do universo: trancada dentro dele, não há nenhuma parte insignificante do futuro do mundo. O peso ou impulso por trás disso é o *momentum* de todo acontecimento interligado que chamamos de atualização da Natureza. E sabemos agora que as "leis da Natureza" não podem fornecer esse *momentum*. Se acreditamos que Deus criou a Natureza, esse *momentum* vem dele. O pai humano é apenas um instrumento, um portador, muitas vezes um portador relutante, sempre e simplesmente o último de uma longa linha de portadores — uma linha que retrocede para muito além de seus ancestrais em desertos de tempo pré-humanos e pré-orgânicos, de volta à criação da própria matéria.

---

[14]*Alcmena, fiel e devota esposa do general Anfitrião, enquanto este estava em combate, foi seduzida por Zeus, que assumiu a forma do general. Dessa união ilícita nasceu Hércules (ou Héracles).

Essa linha está nas mãos de Deus. É o instrumento pelo qual ele normalmente cria um homem. Pois ele é a realidade por trás de Gênio e de Vênus; nenhuma mulher jamais concebeu um filho, nenhuma égua, um potro, sem ele. Contudo uma vez, e com um propósito especial, ele dispensou aquela longa fila que é seu instrumento: uma vez seu dedo que dá vida tocou uma mulher sem passar por eras de acontecimentos interligados; uma vez, a grande luva da Natureza foi retirada de suas mãos; sua mão nua a tocou, e claro que havia uma razão única para isso. Naquela época, ele estava criando não simplesmente um homem, mas o Homem que deveria ser ele mesmo: estava criando o Homem de novo; estava começando, naquele ponto divino e humano, a Nova Criação de todas as coisas. Todo o universo manchado e fatigado estremeceu com essa injeção direta de vida essencial — direta, incontaminada, não drenada por toda a congestionada história da Natureza. Contudo, seria inapropriado aqui explorar o significado religioso do milagre. Estamos aqui preocupados com ele simplesmente como um Milagre — isso e nada mais. No que diz respeito à criação da natureza humana de Cristo (o Grande Milagre por meio do qual sua natureza divina gerada entra nele é outro assunto), a concepção miraculosa é mais uma testemunha de que aqui está o Senhor da Natureza. Ele está fazendo agora, em pequena escala, o que ele faz de maneira diferente para cada mulher que concebe. Ele fez dessa vez sem uma linha de ancestrais humanos; mas, mesmo onde ele usa ancestrais humanos, não é menos ele quem dá a vida.[15] O leito é estéril onde aquele grande terceiro, o Gênio, não está presente.

Os milagres de *Cura*, aos quais me voltarei a seguir, estão agora em uma posição peculiar. Os homens estão prontos

---

[15] Cf. Mateus 23:9.

Milagres

para admitir que muitos deles aconteceram, mas estão inclinados a negar que foram miraculosos. Os sintomas de muitas doenças podem ser imitados pela histeria, e a histeria muitas vezes pode ser curada pela "sugestão". Pode-se, sem dúvida, argumentar que tal sugestão é um poder espiritual e, portanto (se você quiser), um poder sobrenatural, e, logo, que todos os exemplos de "cura pela fé" são milagres. Mas, em nossa terminologia, eles seriam miraculosos apenas no mesmo sentido em que todo exemplo de razão humana é miraculoso, e o que estamos procurando agora são milagres de outro tipo. Minha opinião é que não seria razoável pedir a uma pessoa que ainda não aderiu ao cristianismo em sua totalidade que aceitasse que todas as curas mencionadas nos Evangelhos são milagres — isto é, que vão além das possibilidades das "sugestões" humanas. Cabe aos médicos decidir em relação a cada caso particular — supondo que as narrativas sejam suficientemente detalhadas para permitir até mesmo um diagnóstico provável. Temos aqui um bom exemplo do que foi dito em um capítulo anterior. Longe de acreditar em milagres que dependem da ignorância da lei natural, estamos aqui descobrindo por nós mesmos que a ignorância da lei torna o milagre incerto.

Sem decidir em detalhes qual das curas deve (à parte da aceitação da fé cristã) ser considerada miraculosa, podemos, entretanto, indicar o tipo de milagre envolvido. Seu caráter pode ser facilmente obscurecido pela visão um tanto mágica que muitas pessoas ainda têm da cura comum e médica. Em certo sentido, nenhum médico jamais cura. Os próprios médicos seriam os primeiros a admitir isso. A magia não está no medicamento, mas no corpo do paciente — na *vis medicatrix naturae*,[16] a energia recuperadora ou autocorretiva da

---

[16]*Latim: "poder curador da natureza".

Natureza. O que o tratamento faz é simular funções Naturais ou remover o que as impede. Falamos por comodidade do médico, ou do curativo, curar um corte. No entanto, em outro sentido, todo corte cura a si mesmo: nenhum corte pode ser curado em um cadáver. Essa mesma força misteriosa, a que chamamos de gravitacional quando conduz os planetas e de bioquímica quando cura um corpo vivo, é a causa eficiente de todas as recuperações. E essa energia procede de Deus, em primeira instância. Todos os que são curados, por ele são curados, não apenas no sentido de que sua providência lhes fornece assistência médica e ambientes saudáveis, mas também no sentido de que os próprios tecidos são reparados pela energia descendente que, fluindo dele, energiza todo o sistema da Natureza. Uma vez ele fez isso visivelmente aos enfermos na Palestina, um Homem que se encontrou com os homens. Aquilo a que, em seu funcionamento geral, chamamos de leis da Natureza ou, em outra ocasião, nos referimos a Apolo ou Esculápio[17], assim se revela. O Poder que sempre esteve por trás de todas as curas assume um rosto e mãos. Daí, é claro, a aparente incerteza dos milagres. É inútil reclamar que ele cura aqueles a quem por acaso encontra, não aqueles a quem não encontra. Ser humano significa estar em um lugar e não em outro. O mundo que não o reconheceu como presente em todos os lugares foi salvo por ele se tornar *local*.

O único milagre de Destruição feito por Cristo, o murchar da figueira,[18] mostrou-se problemático para algumas pessoas, mas acho que seu significado é bastante claro. O

---

[17]*Apolo, na mitologia greco-romana, era um dos maiores deuses do Olimpo, considerado justo e defensor da tolerância. Era, entre outras características, deus da cura. Asclépio era o deus grego da medicina, filho de Apolo. Esculápio é seu nome na mitologia romana.
[18]*Marcos 11:12-14,20-21.

milagre é uma parábola encenada, um símbolo da sentença de Deus sobre tudo o que é "infrutífero" e especialmente, sem dúvida, sobre o judaísmo oficial daquela época. Esse é o seu significado moral. Como um milagre, ele novamente faz em foco, repete em pequena escala e de modo semelhante, o que Deus faz constantemente e por toda a Natureza. Vimos no capítulo anterior como Deus, tirando das mãos de Satanás a arma, tornou-se, desde a Queda, o Deus da morte humana. No entanto, muito mais, e talvez desde a criação, ele tem sido o Deus da morte dos organismos. Em ambos os casos, embora de maneiras um tanto diferentes, ele é o Deus da morte porque ele é o Deus da Vida: o Deus da morte humana porque, por intermédio dela, vem agora o aumento da vida — o Deus da meramente orgânica morte porque esta é parte do próprio modo pelo qual a vida orgânica se espalha no Tempo e ainda assim permanece nova. Uma floresta com mil anos ainda está coletivamente viva porque algumas árvores estão morrendo e outras estão crescendo. O rosto humano dele, voltando com negação nos olhos para aquela figueira, fez uma vez o que sua ação não encarnada faz com todas as árvores. Nenhuma árvore morreu naquele ano na Palestina, ou em qualquer ano em qualquer lugar, exceto porque Deus fez — ou melhor, parou de fazer — algo com ela.

Todos os milagres que consideramos até agora são Milagres da Velha Criação. Em todos eles, vemos o Homem Divino fazendo de modo focado para nós o que o Deus da Natureza já fez em uma escala maior. Em nossa próxima classe, os Milagres de Domínio sobre o Inorgânico, encontramos alguns que são da Velha Criação e alguns que são da Nova. Quando Cristo acalma a tempestade,[19] ele faz o que Deus sempre fizera antes.

---

[19]*Marcos 4:35-41.

Deus fez a Natureza de forma que houvesse tempestades e calmarias; dessa forma, todas as tempestades (exceto aquelas que ainda estão acontecendo neste momento) foram acalmadas por Deus. É antifilosófico, se você já aceitou o Grande Milagre, rejeitar o acalmar da tempestade. Não há realmente nenhuma dificuldade em adaptar as condições climáticas do resto do mundo a essa miraculosa calmaria. Eu mesmo posso acalmar uma tempestade em uma sala por fechar a janela. A natureza deve fazer o melhor que puder. E, para fazer-lhe justiça, ela não causa nenhum problema. Todo o sistema, longe de deixar de funcionar corretamente (que é o que algumas pessoas nervosas parecem pensar que um milagre faria), digere a nova situação tão facilmente quanto um elefante digere uma gota d'água. Ela é, como eu disse antes, uma anfitriã realizada. Mas, quando Cristo anda sobre as águas,[20] temos um milagre da Nova Criação. Deus não fez a Velha Natureza, o mundo antes da Encarnação, do tipo em que a água sustentasse um corpo humano. Esse milagre é o antegozo de uma Natureza que ainda está no futuro. A Nova Criação está só começando. Por um momento, parece que ela vai se espalhar. Por um momento, dois homens estão vivendo nesse novo mundo. Pedro também caminha sobre as águas — um ou dois passos; então, sua confiança acaba, e ele afunda. Ele está de volta à Velha Natureza. Aquele vislumbre momentâneo foi um floco de neve de um milagre. Os flocos de neve mostram que passamos a um novo ano. O verão está chegando, mas ainda está muito distante, e os flocos de neve não duram muito.

Todos os Milagres de Reversão pertencem à Nova Criação. É um Milagre de Reversão quando os mortos

---

[20]*Marcos 6:45-51.

Milagres

ressuscitam.[21] A velha natureza nada sabe sobre esse processo: envolve reproduzir de trás para frente um filme que sempre vimos sendo reproduzido em ordem normal. Uma ou duas ocorrências disso nos Evangelhos são flores precoces — o que chamamos de flores da primavera, porque são proféticas, embora realmente floresçam enquanto ainda é inverno.[22] E os Milagres de Aperfeiçoamento ou de Glória, a Transfiguração, a Ressurreição e a Ascensão,[23] são ainda mais enfaticamente da Nova Criação. Eles são a verdadeira primavera, ou mesmo o verão, do ano novo do mundo. O Capitão, o precursor, já está em maio ou junho,[24] embora seus seguidores na Terra ainda vivam nas geadas e nos ventos do leste da Velha Natureza — pois "a primavera chega lentamente por aqui".[25]

Nenhum dos Milagres da Nova Criação pode ser considerado à parte da Ressurreição e da Ascensão, e isso exigirá outro capítulo.

---

[21]*Lucas 7:11-16; 8:40-56; João 11:1-44.
[22]*Um dos exemplos que talvez Lewis tenha em mente é Mateus 27:50-53.
[23]*Mateus 17:1-8; 28:1-10; Lucas 24:50-51.
[24]*A Inglaterra está no hemisfério norte; portanto, a primavera lá ocorre de março a junho.
[25]*Verso do poema "Christabel", de Samuel Taylor Coleridge (1772—1834), poeta, filósofo e teólogo inglês.

CAPÍTULO 16

Milagres da nova criação

"Cuidado, pois os demônios em triunfo riem
Por causa daquele que aprende a verdade pela metade!
Cuidado; pois Deus não suportará
Que os homens tornem a esperança mais pura
Do que sua boa promessa, ou exijam

Outra além da lira de cinco cordas[1]
Que ele prometeu novamente às mãos
Devotas daqueles que aprendem
A afiná-la justamente aqui!"
C. Patmore, The Victories of Love[2]

Nos primeiros dias do cristianismo, um "apóstolo" era, antes de tudo, um homem que afirmava ser testemunha ocular da

---

[1] Ou seja, o corpo com seus cinco sentidos.
[2] Coventry Kersey Dighton Patmore (1823–1896), poeta e crítico inglês. Em 1862, após a morte da esposa, tornou-se católico. É bem conhecido pelo livro *The Angel in the House* [O anjo na casa], uma celebração em forma de poesia ao amor conjugal. *The Victories of Love* [As vitórias do amor] é a última parte do livro.

Milagres

Ressurreição. Poucos dias após a crucificação, quando dois candidatos foram nomeados para a vaga aberta pela traição de Judas, sua qualificação era que eles haviam conhecido Jesus pessoalmente tanto antes quanto depois de sua morte e poderiam oferecer evidência em primeira mão da Ressurreição ao se dirigirem ao mundo exterior (Atos 1:22). Poucos dias depois, pregando o primeiro sermão cristão, Pedro faz a mesma afirmação: "Deus ressuscitou este Jesus, e todos nós [os cristãos] somos testemunhas desse fato" (2:32). Na Primeira Carta aos Coríntios, Paulo baseia sua reivindicação de apostolado no mesmo fundamento: "Não sou apóstolo? Não vi Jesus, nosso Senhor?" (9:1).

Como essa qualificação sugere, pregar o cristianismo significava principalmente pregar a Ressurreição. Assim, as pessoas que tinham ouvido apenas fragmentos do ensinamento de Paulo em Atenas tiveram a impressão de que ele estava falando sobre dois novos deuses, Jesus e *Anastásis* (isto é, a Ressurreição; Atos 17:18). A Ressurreição é o tema central de todo o sermão cristão relatado em Atos. A Ressurreição e suas consequências foram o "evangelho", ou as boas-novas, que os cristãos apresentaram; o que chamamos de "Evangelhos", as narrativas da vida e da morte de Nosso Senhor, foi consolidado posteriormente para o benefício daqueles que já haviam aceitado o *evangelho*. Eles não eram de forma alguma a base do cristianismo: eles foram escritos para os já convertidos. O milagre da Ressurreição, e a teologia desse milagre, vem primeiro; a biografia vem depois como um comentário sobre ela. Nada poderia ser mais anti-histórico do que pinçar ditos selecionados de Cristo dos Evangelhos, e considerá-los como o *datum*, e tratar o resto do Novo Testamento como uma construção sobre ele. O primeiro fato na história da cristandade é uma série de pessoas que dizem ter visto a Ressurreição.

Milagres da nova criação

Se elas tivessem morrido sem fazer ninguém acreditar nesse "evangelho", nenhum Evangelho jamais teria sido escrito.

É muito importante deixar claro o que essas pessoas quiseram dizer. Quando os escritores modernos falam da Ressurreição, eles geralmente se referem a um momento particular: a descoberta da Tumba Vazia e o aparecimento de Jesus a alguns metros dela. A história daquele momento é aquilo a que os apologistas cristãos agora tentam principalmente dar apoio, e os céticos principalmente tentam impugnar. Contudo, essa concentração quase exclusiva nos primeiros cinco minutos ou mais da Ressurreição teria surpreendido os primeiros mestres cristãos. Ao alegar ter visto a Ressurreição, eles não estavam necessariamente alegando ter visto *isso*. Alguns deles tinham sido testemunhas oculares; outros, não. Essa não teve mais importância do que qualquer uma das outras aparições do Jesus ressuscitado — além da importância poética e dramática que o início das coisas sempre deve ter. O que eles afirmavam é que todos, em uma ocasião ou outra, encontraram Jesus durante as seis ou sete semanas que se seguiram à sua morte. Às vezes, parece terem estado sozinhos quando ocorreu, mas em uma ocasião doze deles o viram juntos, e em outra ocasião cerca de quinhentos deles. Paulo diz que a maioria dos quinhentos ainda estavam vivos quando ele escreveu a Primeira Carta aos Coríntios, ou seja, por volta de 55 d.C.[3]

A "Ressurreição" da qual eles deram testemunho não foi, de fato, a ação de erguer-se dos mortos, mas o estado de ter sido erguido; um estado, como eles sustentavam, atestado por reuniões intermitentes durante um período limitado (exceto

---

[3] 1Coríntios 15:6.

Milagres

pela reunião especial, e em alguns aspectos diferente, concedida a Paulo).[4] Esse término do período é importante, pois, como veremos, não há possibilidade de isolar a doutrina da Ressurreição da doutrina da Ascensão.

O próximo aspecto a notar é que a Ressurreição não foi considerada simplesmente ou principalmente como evidência da imortalidade da alma. É claro que é com frequência assim considerada hoje: ouvi um homem afirmar que "a importância da Ressurreição é que ela prova a *sobrevivência*". Essa opinião não pode ser conciliada, em concepção alguma, com a linguagem do Novo Testamento. De acordo com esse ponto de vista, Cristo teria apenas feito o que todos os homens fazem quando morrem: a única novidade seria que, em seu caso, foi-nos permitido ver isso acontecer. Contudo, não há nas Escrituras a menor sugestão de que a Ressurreição fosse uma nova evidência de algo que, *de fato*, sempre estivera acontecendo. Os escritores do Novo Testamento falam como se a realização de Cristo ao ressuscitar dos mortos fosse o primeiro acontecimento desse tipo em toda a história do universo. Ele é "as primícias", o "autor da vida".[5] Ele forçou a abertura de uma porta que esteve trancada desde a morte do primeiro homem. Ele enfrentou, lutou e derrotou o Rei da Morte. Tudo é diferente porque ele o fez. Esse é o início da Nova Criação: um novo capítulo na história cósmica se abriu.

Não quero dizer, é claro, que os escritores do Novo Testamento não acreditavam na "sobrevivência". Pelo contrário, eles acreditavam tão prontamente que Jesus, em mais de uma ocasião, teve de lhes assegurar que não era um fantasma.

---

[4]Possível referência ao encontro de Paulo com o Senhor na estrada de Damasco (At 9), talvez três anos após a ressurreição.
[5]*1Coríntios 15:20; Atos 3:15.

Milagres da nova criação

Desde os primeiros tempos, os judeus, como muitas outras nações, acreditavam que o homem possuía uma "alma", ou *Nephesh*,[6] separável do corpo, que foi para a morte no mundo sombrio chamado *Sheol*:[7] uma terra de esquecimento e imbecilidade onde ninguém mais invocava a Jeová; uma terra meio irreal e melancólica como o Hades, dos gregos, ou o Niflheim, dos nórdicos.[8] Dela as sombras podiam retornar e aparecer aos vivos, como a sombra de Samuel fizera por ordem da Bruxa de En-Dor.[9] Em tempos muito mais recentes, surgiu uma crença mais agradável de que os justos passam da morte para o "céu". Ambas as doutrinas são doutrinas da "imortalidade da alma", como um grego ou um inglês moderno entende; e ambas são irrelevantes para a história da Ressurreição. Os escritores consideraram esse evento uma absoluta novidade. É claro que eles não pensavam estar sendo assombrados por um fantasma do *Sheol*, nem mesmo que tiveram uma visão de uma "alma" no "céu". Deve ser claramente entendido que se os Pesquisadores

---

[6]*Palavra hebraica, usada pela primeira vez em Gênesis 1:20, normalmente traduzida por "alma", mas também vertida, por vezes, para "vida" (como em 9:4).
[7]*Palavra hebraica, usada pela primeira vez em Gênesis 37:35, que indica o mundo subterrâneo, entendido como mundo dos mortos; traduzida por "inferno, sepultura, morte, cova". Corresponde ao Hades (ver próxima nota).
[8]*Hades, na mitologia grega, era o deus do reino dos mortos ou do submundo. Com Zeus e Poseidon, seus irmãos, formavam a tríade dos principais deuses olímpicos. Com o tempo, seu nome foi usado para designar o próprio mundo dos mortos. No NT, a palavra é usada onze vezes (a primeira em Mateus 11:23); normalmente é traduzida para "inferno"; na NVI, é normalmente mantida sem tradução; exceção: Atos 2:27,31 (sepulcro) e 1Coríntios 15:55 (morte). Niflheim, "mundo de névoa", é um dos nove mundos da mitologia nórdica. É o mundo primordial, governado pela deusa Hela, filha de Odin, e também o reino dos mortos. Seria mais comparável ao purgatório, da tradição católica, não ao inferno cristão.
[9]*1Samuel 28:7-16.

Milagres

Psíquicos[10] conseguissem provar a "sobrevivência" e mostrassem que a Ressurreição foi um exemplo dela, eles não estariam apoiando a fé cristã, mas a refutando. Se isso fosse tudo o que aconteceu, o "evangelho" original não seria verdadeiro. O que os apóstolos afirmavam ter visto não corrobora, nem exclui, e na verdade não tem relação alguma com a doutrina do "céu" ou com a doutrina do *Sheol*. Se isso corroborou alguma coisa, corroborou uma terceira crença judaica que é bem distinta de ambas. Essa terceira doutrina ensinava que no "dia de Javé" a paz seria restaurada e o domínio mundial seria dado a Israel sob um Rei justo; e, que quando isso acontecesse, os justos mortos, ou alguns deles, voltariam à terra — não como espectros flutuantes, mas como homens sólidos que lançavam sombras à luz do sol e faziam barulho quando pisavam no chão.[11] "Vocês, que voltaram ao pó, acordem e cantem de alegria", disse Isaías; "a terra dará à luz os seus mortos" (26:19). O que os apóstolos pensaram ter visto foi, se não isso, pelo menos um primeiro exemplo solitário disso: o primeiro movimento de uma grande roda começando a girar na direção oposta àquela que todos os homens até então haviam observado. De todas as ideias acolhidas pelo homem sobre a morte, é esta, e somente esta, que a história da Ressurreição tende a confirmar. Se a história for falsa, então, foi esse mito hebraico da ressurreição que a gerou. Se a história for verdadeira, a sugestão e a antecipação da verdade não serão encontradas nas ideias populares sobre fantasmas, nem nas doutrinas orientais da reencarnação,

---

[10]*Nome dado, à época de Lewis, aos parapsicólogos, ainda conservado em algumas publicações.
[11]*O "dia do Senhor" é mencionado dezessete vezes no AT. Inicialmente, será dia de juízo, de vingança e de trevas; após esse juízo virá o tempo de paz a que Lewis se refere.

Milagres da nova criação

nem nas especulações filosóficas sobre a imortalidade da alma, mas exclusivamente nas profecias hebraicas sobre o retorno, a restauração, a grande reversão. A imortalidade simplesmente como imortalidade é irrelevante para a reivindicação cristã.

Há, admito, certos aspectos em que o Cristo ressuscitado se assemelha ao "fantasma" da tradição popular. Como um fantasma, ele "aparece" e "desaparece": portas trancadas não são obstáculo para ele. Por outro lado, ele mesmo afirma vigorosamente que é corpóreo (Lucas 24:39-40) e come peixe grelhado. É nesse ponto que o leitor moderno fica desconfortável. Ele fica ainda mais desconfortável com a palavra: "Não me segure, pois ainda não voltei para o Pai" (João 20:17). Para vozes e aparições estamos, em certa medida, preparados. Contudo, o que é isso que não deve ser tocado, não deve ser segurado? Que história é essa de "voltar", ou subir, para o Pai? Ele já não está "com o Pai" no único sentido que importa? O que pode ser "subir" senão uma metáfora para *isso*? E se for isso, por que ele "ainda não" foi? Esses desconfortos surgem porque a história que os "apóstolos" realmente tiveram de contar começa nesse ponto a entrar em conflito com a história que esperamos e estamos determinados a ler de antemão em sua narrativa.

Esperamos que falem de uma vida ressuscitada que é puramente "espiritual" no sentido negativo da palavra: isto é, usamos a palavra "espiritual" para significar não o que é, mas o que não é. Referimo-nos a uma vida sem espaço, sem história, sem ambiente, sem elementos sensoriais nela. Nós também, no fundo do nosso coração, tendemos a desprezar a *humanidade* ressuscitada de Jesus ao concebê-lo, após a morte, simplesmente retornando à Divindade, de forma que a Ressurreição não fosse mais do que a reversão ou anulação da Encarnação. Assim sendo, todas as referências ao *corpo* ressuscitado nos inquietam: elas levantam questões incômodas. Enquanto mantemos a visão espiritual negativa, não temos de fato crido naquele corpo. Pensamos (quer reconheçamos isso, quer não) que o corpo não era concreto: que era uma aparência enviada por Deus para assegurar aos discípulos verdades que seriam, de outra forma, incomunicáveis. Contudo quais verdades? Se a verdade é que depois da morte vem uma vida negativamente espiritual, uma eternidade de experiência mística, que maneira mais enganosa de comunicar isso poderia ser encontrada do que o aparecimento de uma forma humana que come peixe grelhado? Uma vez mais, nesse ponto de vista, o corpo seria realmente uma alucinação. E qualquer teoria de alucinação é rompida no fato (e se é invenção, é a invenção mais estranha que já passou pela mente do homem) de que em três ocasiões distintas essa alucinação não foi imediatamente reconhecida como Jesus (Lucas 24:13-31; João 20:15; 21:4). Mesmo admitindo que Deus enviou uma santa alucinação para ensinar verdades já amplamente acreditadas sem ela, e muito mais facilmente ensinadas por outros métodos, e que, com certeza, seriam completamente obscurecidas por esse método, não poderíamos pelo menos esperar que ele apresentasse a face da alucinação *correta*? É Aquele que fez todas as faces tão desajeitado que não consegue nem mesmo elaborar uma semelhança reconhecível do Homem que era ele mesmo?

É neste ponto que espanto e tremor caem sobre nós ao lermos os registros. Se a história for falsa, é, no mínimo, uma história muito mais estranha do que esperávamos, algo para o qual a "religião" filosófica, a pesquisa psíquica e a superstição popular também falharam em preparar-nos. Se a história for verdadeira, então, um modo totalmente novo de ser surgiu no universo.

Milagres da nova criação

O corpo que vive neste novo modo é semelhante ao — e, no entanto, diferente do — corpo que seus amigos conheciam antes da execução. Relaciona-se de maneira diferente com o espaço e provavelmente com o tempo, mas de forma alguma está desligado de toda relação com eles. Ele pode realizar o ato animal de comer. Está tão relacionado com a matéria, como a conhecemos, que pode ser tocado, embora a princípio seja melhor não ser tocado. Ele também tem uma história diante de si, que está em vista desde o primeiro momento da Ressurreição: ele vai se tornar diferente ou ir para outro lugar. É por isso que a história da Ascensão não pode ser separada da história da Ressurreição. Todos os relatos sugerem que as aparições do Corpo Ressuscitado chegaram ao fim; alguns descrevem um fim abrupto cerca de seis semanas após a morte. E eles descrevem esse fim abrupto de uma forma que apresenta maiores dificuldades para a mente moderna do que qualquer outra parte das Escrituras. Pois aqui, certamente, temos a implicação de todas aquelas cruezas primitivas com as quais eu disse que os cristãos não estão comprometidos: a ascensão vertical como um balão, o Céu local, o assento decorado à direita do trono do Pai. "O Senhor Jesus foi elevado ao céu [*ouranos*]", diz o Evangelho de Marcos (16:19), "e assentou-se à direita de Deus". "Foi elevado às alturas", diz o autor de Atos (1:9), "e uma nuvem o encobriu da vista deles".

É verdade que, se quisermos nos livrar dessas passagens embaraçosas, temos os meios para fazê-lo. A que foi registrada por Marcos provavelmente não fazia parte do texto mais antigo de seu Evangelho; e você pode adicionar que a Ascensão, embora constantemente implicada ao longo de todo o Novo Testamento, é descrita apenas nesses dois lugares. Podemos, então, tão somente abandonar a história da Ascensão? A resposta é que só podemos fazer isso se

Milagres

considerarmos as aparições da Ressurreição como as de um fantasma ou uma alucinação. Pois um fantasma pode simplesmente desaparecer; mas uma entidade concreta deve ir para algum lugar — algo deve acontecer com ela. E, se o Corpo Ressuscitado não era concreto, então, todos nós (cristãos ou não) temos de inventar alguma explicação para o desaparecimento do cadáver. E todos os cristãos devem explicar por que Deus enviou ou permitiu uma "visão" ou um "fantasma" cujo comportamento parece quase exclusivamente direcionado para convencer os discípulos de que não era uma visão ou um fantasma, mas um ser, sem dúvida, corpóreo. Se fosse uma visão, seria a visão mais sistematicamente enganosa e mentirosa já registrada. Todavia, se fosse real, então, algo aconteceu ao corpo depois que ele parou de aparecer. Você não pode descartar a Ascensão sem colocar outra coisa em seu lugar.

Os registros representam Cristo após a morte passando (como nenhum homem tinha passado antes) nem para um modo puramente, isto é, negativamente, "espiritual" de existência, nem para uma vida "natural" como a conhecemos, mas para uma vida que tem sua própria Natureza nova. Ele é apresentado retirando-se seis semanas depois para algum modo diferente de existência. É dito — ele diz — que vai preparar lugar para nós.[12] Isso presumivelmente significa que ele estava prestes a criar toda aquela nova Natureza que concederá o ambiente ou as condições para sua humanidade glorificada e, nele, para a nossa. A imagem não é a que esperávamos — embora ser menos ou mais provável e filosófica por conta disso é outra questão. Não é a imagem de uma fuga de todo e qualquer tipo de Natureza para alguma vida não condicionada e totalmente transcendente; é a imagem de uma nova

---

[12]*João 14:2.

Milagres da nova criação

natureza humana, e de uma nova Natureza em geral, sendo trazida à existência. Devemos, de fato, crer que o corpo ressuscitado é extremamente diferente do corpo mortal; mas a existência, nesse novo estado, de qualquer coisa que pudesse em qualquer sentido ser descrito como "corpo" envolve algum tipo de relações espaciais e, no longo prazo, todo um novo universo. Essa é a imagem — não do desfazer, mas do refazer. O antigo campo composto por espaço, tempo, matéria e sentidos deve ser capinado, arado e semeado para uma nova colheita. Podemos estar cansados desse velho campo; Deus, não.

No entanto, o próprio modo pelo qual essa Nova Natureza começa a brilhar tem certa afinidade com os hábitos da Velha Natureza. Na Natureza que conhecemos, as coisas tendem a ser antecipadas. A Natureza gosta de "falsos alvoreceres", de precursores; assim, como eu disse antes, algumas flores vêm antes da verdadeira primavera, sub-homens (os evolucionistas querem que eles existam), antes dos verdadeiros homens. Então, aqui também, temos a Lei antes do Evangelho, sacrifícios de animais prenunciando o grande sacrifício de Deus a Deus, o Batista antes do Messias, e aqueles "milagres da Nova Criação" que vêm antes da Ressurreição. O andar de Cristo sobre as águas e a ressurreição de Lázaro se enquadram nessa classe. Ambos nos dão indícios de como será a Nova Natureza.

No andar sobre a Água, vemos as relações entre espírito e Natureza tão alteradas que a Natureza pôde ser levada a fazer o que o espírito quis. Essa nova obediência da Natureza, é claro, não deve ser separada, mesmo em pensamento, da própria obediência do espírito ao Pai dos Espíritos.[13] Fora

---

[13]*Expressão encontrada em Hebreus 12:9. Mantivemos a maiúscula em "Espíritos" usada por Lewis.

essa condição, tal obediência por parte da Natureza, se fosse possível, resultaria em caos: o sonho maligno da Magia surge do desejo do espírito finito de obter esse poder sem pagar seu preço. A realidade maligna da ciência aplicada ilegal (que é filha e herdeira da Magia) está, na verdade, reduzindo grandes extensões da Natureza à desordem e à esterilidade neste exato momento. Não sei quão radicalmente a própria Natureza precisaria ser alterada para tornar-se obediente aos espíritos, quando os espíritos se tornaram totalmente obedientes à própria fonte. Pelo menos uma coisa devemos observar. Se somos de fato espíritos, não descendentes da Natureza, então, deve haver algum ponto (provavelmente o cérebro) em que o espírito criado mesmo agora possa produzir efeitos na matéria, não por manipulação ou técnica, mas simplesmente pelo desejo de fazê-lo. Se isso é o que você quer dizer com Magia, então, Magia é uma realidade que se manifesta toda vez que você move a mão ou tem um pensamento. E a Natureza, como vimos, não é destruída, mas sim aperfeiçoada, por sua servidão.

A ressuscitação de Lázaro difere da Ressurreição do próprio Cristo porque Lázaro, pelo que sabemos, não foi elevado a um modo de existência novo e mais glorioso, mas apenas restaurado ao tipo de vida que tinha antes. A adequação do milagre reside no fato de que Aquele que chamará do túmulo todos os homens na ressurreição geral naquele momento o faz em pequena escala e em círculo próximo, e de uma forma inferior — meramente antecipatória. Pois a mera restauração de Lázaro é tão inferior em esplendor à *gloriosa* ressurreição da Nova Humanidade quanto os jarros de pedra são para a videira verde e pujante ou cinco pequenos pães de cevada para todo o bronze e ouro ondulantes de um vale maduro para a colheita. A ressuscitação de Lázaro, até onde podemos ver, é

Milagres da nova criação

uma simples reversão: uma série de mudanças que atuam no sentido oposto ao que sempre experimentamos. Na morte, a matéria que era orgânica começa a fluir para o inorgânico, para ser, por fim, espalhada e usada (parte dela) por outros organismos. A ressurreição de Lázaro envolveu o processo inverso. A ressurreição geral envolve o processo inverso universalizado — uma corrida da matéria em direção à organização, atendendo ao chamado dos espíritos que assim exigem. É presumivelmente uma fantasia tola (não justificada pelas palavras das Escrituras) que cada espírito deva recuperar aquelas unidades particulares de matéria que ele governou antes. Por um lado, elas não seriam suficientes para atender a todos: todos nós vivemos em ternos de segunda mão e há, sem dúvida, átomos em meu queixo que serviram a muitos outros homens, a muitos cães, a muitas enguias, a muitos dinossauros. Nem a unidade de nosso corpo, mesmo nesta vida presente, consiste em reter as mesmas partículas. Minha forma permanece uma, embora a matéria nela mude continuamente. Nesse aspecto, sou como uma curvatura de uma cachoeira.

Contudo, o milagre de Lázaro, embora apenas antecipatório em certo sentido, pertence enfaticamente à Nova Criação, pois nada é mais excluído de modo definitivo pela Velha Natureza do que qualquer retorno a um *status quo*. O padrão de Morte e Renascimento nunca restaura o organismo individual anterior. E, da mesma forma, no nível inorgânico, somos informados de que a natureza nunca restaura a ordem onde a desordem já ocorreu. "Embaralhar", disse o professor Eddington, "é o que a Natureza nunca desfaz".[14] Portanto,

---

[14]*Ver cap. 13, nota 3. *The Nature of the Physical World* (Cambridge: Cambridge University Press, 1948; electronic edition 2007, p. 32).

Milagres

vivemos em um universo em que os organismos estão sempre ficando mais desordenados. Essas leis entre eles — morte irreversível e entropia irreversível — cobrem quase tudo o que o apóstolo Paulo chama de "futilidade" da Natureza:[15] sua vaidade, sua ruína. E o filme nunca é revertido. O movimento de mais ordem para menos quase serve para determinar a direção em que o Tempo está fluindo. Você quase poderia definir o futuro como o período em que o que agora está vivo estará morto e em que a ordem que ainda permanece será diminuída.

Contudo, a entropia, por seu próprio caráter, nos assegura que, embora possa ser a regra universal na Natureza que conhecemos, pode não ser absolutamente universal. Se um homem disser: "Humpty Dumpty está caindo",[16] você verá imediatamente que essa não é uma história completa. A parte que você ouviu implica tanto um capítulo posterior, em que Humpty Dumpty terá atingido o solo, quanto um capítulo anterior, em que ele ainda estava sentado no muro. Uma Natureza que está "se esgotando" não pode ser toda a história. Um relógio não pode parar a menos que lhe tenha sido dado corda. Humpty Dumpty não pode cair de um muro que nunca existiu. Se uma Natureza que desintegra a ordem fosse toda a realidade, onde ela encontraria qualquer ordem para desintegrar? Portanto, em qualquer ponto de vista, deve ter

---

[15]*Romanos 8:20.
[16]*Humpty Dumpty é personagem de uma estranha música infantil inglesa do séc. 18. A letra diz: "Humpty Dumpty sentou-se em um muro,/ Humpty Dumpty sofreu uma grande queda./ Todos os cavalos do rei e todos os homens do rei / Não conseguiram juntar Humpty outra vez". Ele é descrito como um ovo com face, braços e pernas. Aparece também em *Alice através do espelho*, de Lewis Carrol (1871). Eddington também usa Humpty para defender seu argumento na mesma página referida na nota 14, acima.

Milagres da nova criação

havido um tempo em que os processos que eram o inverso daqueles que agora vemos estavam acontecendo: um tempo de dissolução. A afirmação cristã é que aqueles dias não acabaram para sempre. Humpty Dumpty vai ser recolocado no muro — pelo menos no sentido de que o que morreu vai recuperar a vida, provavelmente no sentido de que o universo inorgânico vai ser reordenado. Ou Humpty Dumpty nunca alcançará o chão (sendo aparado no meio da queda pelos braços eternos),[17] ou então, quando o alcançar, será montado novamente e recolocado em um muro novo e melhor. Sabe-se que a ciência não discerne nem "homens nem cavalos do rei" que possam "juntar Humpty Dumpty outra vez". Mas você não esperaria que ela o fizesse. Ela é baseada na observação: e todas as nossas observações são observações de Humpty Dumpty no ar. Elas não alcançam o muro acima ou o solo abaixo — muito menos o rei com seus cavalos e seus homens correndo em direção ao local.

A Transfiguração, ou "Metamorfose", de Jesus é também, sem dúvida, um vislumbre antecipatório de algo que está por vir. Cristo é visto conversando com dois dos mortos antigos.[18] A mudança pela qual sua própria forma humana passou é descrita como uma mudança de luminosidade: "Seu rosto resplandeceu como o sol".[19] Uma alvura semelhante caracteriza sua aparência no início do livro do Apocalipse.[20] Um detalhe bastante curioso é que esse brilho, ou alvura, afetou

---

[17]Referência a Deuteronômio 33:27.
[18]Cristo é visto conversando com Moisés e Elias (Mt 17:1-3); destes, a Bíblia afirma que apenas o primeiro morreu (e foi sepultado por Deus mesmo; Dt 34:5-6): o segundo foi levado vivo para o céu (2Rs 2:2,11).
[19]Mateus 17:2.
[20]Apocalipse 1:14.

suas roupas tanto quanto seu corpo. Na verdade, Marcos menciona as roupas de forma mais explícita do que o rosto, e acrescenta, com sua ingenuidade inimitável: "Como nenhum lavandeiro no mundo seria capaz de branqueá-las".[21] Tomado de modo isolado, esse episódio traz todas as marcas de uma "visão"; ou seja, uma experiência que, embora possa ser divinamente enviada e possa revelar uma grande verdade, não é, objetivamente falando, a experiência que parece ser. Mas, se a teoria da "visão" (ou alucinação santa) não vai abranger as aparições da Ressurreição, haveria apenas uma multiplicação de hipóteses para introduzi-la aqui. Não sabemos para que fase ou característica da Nova Criação esse episódio aponta. Pode revelar alguma glorificação especial da humanidade de Cristo em alguma fase de sua história (uma vez que a história aparentemente as tem) ou pode revelar a glória que essa humanidade sempre teve em sua Nova Criação; pode até revelar uma glória que todos os homens ressuscitados herdarão. Nós não sabemos.

Na verdade, deve ser enfatizado que sabemos e podemos saber muito pouco sobre a Nova Natureza. A tarefa da imaginação aqui não é prever, mas simplesmente, por meditar em muitas possibilidades, abrir espaço para um agnosticismo mais completo e circunspecto. É útil lembrar que, mesmo agora, os sentidos que respondem a diferentes vibrações nos admitem em mundos de experiência bastante novos; que um espaço multidimensional seria diferente, quase irreconhecível, do espaço do qual agora estamos conscientes, mas não descontínuo dele; que o tempo pode não ser sempre para nós, como agora é, unilinear e irreversível; que outras partes da Natureza possam um dia nos obedecer como nosso córtex

---

[21]Marcos 9:2.

Milagres da nova criação

agora o faz. Isso é útil, não porque podemos confiar que essas fantasias nos darão quaisquer verdades positivas sobre a Nova Criação, mas porque elas nos ensinam a não limitar, em nossa precipitação, o vigor e a variedade das novas safras que esse velho campo ainda pode produzir. Somos, portanto, compelidos a crer que quase tudo o que nos dizem sobre a Nova Criação é metafórico, mas não tudo. É exatamente aí que a história da Ressurreição de repente nos puxa para trás como uma corda. As aparições locais, o comer, o tocar, a alegação de corporeidade, devem ser realidade ou pura ilusão. A Nova Natureza está, da maneira mais problemática, interligada em alguns pontos com a Velha. Por causa de sua novidade, temos de pensar nela, na maior parte, metaforicamente; mas, por causa do entrelaçamento parcial, alguns fatos sobre ela alcançam nossa experiência presente em toda a sua "fatualidade" literal — assim como alguns fatos sobre um organismo são fatos inorgânicos, e alguns fatos sobre um corpo sólido são fatos de geometria linear.

Mesmo à parte disso, a mera ideia de uma Nova Natureza, uma Natureza além da Natureza, uma realidade sistemática e diversificada que é "sobrenatural" em relação ao mundo de nossos cinco sentidos presentes, mas "natural" de seu próprio ponto de vista, é profundamente chocante para certo preconceito filosófico do qual todos sofremos. Acho que Kant[22] está na raiz disso. Pode-se expressar a ideia dizendo que estamos preparados para acreditar tanto em uma realidade de um andar, quanto em uma realidade de dois andares, mas não em uma realidade como um arranha-céu de vários andares. Estamos preparados, por um lado, para o tipo de realidade em que os Naturalistas acreditam. É uma realidade de um

---

[22]*Ver cap. 4, nota 3.

andar: essa presente Natureza é tudo o que existe. Também estamos preparados para a realidade como a "religião" a concebe: uma realidade com um andar térreo (Natureza) e, então, sobre este, outro andar, e apenas um — um Algo eterno, ilimitado, atemporal, espiritual, do qual não podemos ter imagens e que, se é que se apresenta à consciência humana, ele o faz em uma experiência mística que destrói todas as nossas categorias de pensamento. Não estamos preparados para algo intermediário. Temos certeza de que o primeiro passo além do mundo de nossa experiência presente deve levar a lugar algum ou, então, ao abismo ofuscante da espiritualidade indiferenciada, o incondicionado, o absoluto. É por isso que muitos que acreditam em Deus não podem acreditar em anjos e em um mundo angelical. É por isso que muitos que acreditam na imortalidade não podem acreditar na ressurreição do corpo. É por isso que o panteísmo é mais popular que o cristianismo e muitos desejam um cristianismo expurgado de seus milagres. Não consigo compreender agora, mas me lembro bem da convicção apaixonada com que eu mesmo uma vez defendi esse preconceito. Qualquer rumor de andares ou níveis intermediários entre o Incondicionado e o mundo revelado por nossos sentidos atuais eu rejeitei sem julgamento como "mitologia".

No entanto, é muito difícil ver qualquer fundamento racional para o dogma de que a realidade não deve ter mais do que dois níveis. Não pode, a partir da natureza do caso, haver evidência de que Deus nunca criou e nunca criará mais de um sistema. Cada um deles seria pelo menos extranatural em relação a todos os outros; e se algum deles é mais concreto, mais permanente, mais excelente e mais rico do que outro, será para aquele outro *sobre*natural. Nem um contato parcial entre quaisquer dois obliterará seu caráter distintivo. Dessa forma, pode haver Naturezas empilhadas sobre Naturezas em

Milagres da nova criação

qualquer altura que Deus quisesse, cada Sobrenatural para aquela abaixo de si e Subnatural para aquela que a ultrapassasse. Contudo, o teor do ensino cristão é que estamos realmente vivendo em uma situação ainda mais complexa do que isso. Uma nova Natureza está sendo não apenas feita, mas feita a partir de uma velha. Vivemos em meio a todas as anomalias, inconveniências, esperanças e empolgações de uma casa que está sendo reconstruída. Algo está sendo posto abaixo e algo está sendo erguido em seu lugar.

Aceitar a ideia de andares intermediários — que a história cristã vai, simplesmente, nos forçar a fazer, se não for isso uma falsidade — é claro que não envolve a perda de nossa compreensão espiritual do último andar de todos. Certamente, além de todos os mundos, incondicionado e inimaginável, transcendendo o pensamento discursivo, boceja para sempre o Fato último, a fonte de todas as outras "fatualidades", a profundidade ardente e não dimensionada da Vida Divina. Muito certamente também, estar unido àquela Vida na eterna Filiação de Cristo é, estritamente falando, a única coisa que vale um momento de consideração. E, na medida em que é *isso* que você entende por *Céu*, a Natureza divina de Cristo nunca o deixou e, portanto, nunca voltou a ele (o céu); e sua natureza humana ascendeu para lá não no momento da Ascensão, mas a cada momento. Nesse sentido, nenhuma palavra proferida pelos espiritualistas (por favor, Deus) será desdita por mim. Contudo, isso não significa que inexistem também outras verdades. Admito — na verdade, eu insisto — que Cristo não pode estar "à direita de Deus"[23] a não ser em

---

[23]*Referência a Marcos 16:19; 1Pedro 3:22 e à cláusula do Credo Apostólico: "Subiu aos céus, e está assentado à direita de Deus Pai Todo-Poderoso".

um sentido metafórico. Admito e insisto que o Verbo Eterno, a Segunda Pessoa da Trindade, nunca pode ser, nem ter sido, confinado a qualquer lugar; antes, é nele que todos os lugares existem. Contudo, os registros dizem que o Cristo glorificado, mas ainda em certo sentido corpóreo, retirou-se para um modo diferente de ser, e isso cerca de seis semanas após a Crucificação, e que ele está "preparando um lugar" para nós. Devemos tomar como metáfora a afirmação do Evangelho de Marcos de que Cristo se sentou à direita de Deus; foi, de fato, mesmo para o escritor, uma citação poética do Salmo 110 (v. 1). Mas a afirmação de que a Forma sagrada ascendeu e desapareceu não permite o mesmo tratamento.

O que nos preocupa aqui não é simplesmente a declaração em si, mas o que (temos certeza) o autor quis dizer com ela. Admitindo que existam diferentes Naturezas, diferentes níveis de ser, distintos, mas nem sempre descontínuos — admitido que Cristo se retirou de um desses para outro, que sua retirada de um foi, de fato, o primeiro passo em sua criação do outro —, o que precisamente devemos esperar que os espectadores vejam? Talvez o mero desaparecimento instantâneo nos deixasse mais confortáveis. Uma ruptura repentina entre o perceptível e o imperceptível nos preocuparia menos do que qualquer tipo de juntura. Contudo, se os espectadores disserem que viram primeiro um curto movimento vertical e depois uma vaga luminosidade (é isso que "nuvem" provavelmente significa aqui, como certamente o faz no relato da Transfiguração) e depois nada, temos algum motivo para contestar? Estamos bem cientes de que o aumento da distância do centro deste planeta não poderia *em si mesmo* ser equiparado a aumento de poder ou de beatitude. Todavia, isso significa apenas que, *se* o movimento não teve ligação com esses acontecimentos espirituais, então, não teve ligação com eles.

O movimento (em qualquer direção, exceto uma) para longe da posição ocupada momentaneamente por nossa Terra que se move com certeza será para nós um movimento "para cima". Dizer que a passagem de Cristo para uma nova "Natureza" não poderia envolver tal movimento, ou absolutamente nenhum movimento, dentro da "Natureza" que ele estava deixando é muito arbitrário. Onde há passagem, há partida; e a partida é um acontecimento na região de onde o viajante está partindo. É assim, mesmo supondo que o Cristo Ascendente esteja em um espaço tridimensional. Se não é esse tipo de corpo, e o espaço não é esse tipo de espaço, então, estamos ainda menos qualificados para dizer o que os espectadores desse acontecimento inteiramente novo podem ou não ter visto ou sentido se fossem eles que tivessem visto. É claro que não há dúvida de que um corpo humano como o conhecemos existe no espaço interestelar como o conhecemos. A Ascensão pertence a uma Nova Natureza. Estamos discutindo apenas como seria a "juntura" entre a Velha Natureza e a nova, o momento preciso da transição.

Contudo, o que realmente nos preocupa é a convicção de que, não importando o que digamos, os escritores do Novo Testamento estavam se referindo a algo bem diferente. Temos certeza de que eles pensaram ter visto seu Mestre partindo em uma jornada para um "Céu" local, onde Deus estava sentado em um trono e onde havia outro trono esperando por ele. E eu acredito que, de certa forma, foi exatamente isso que eles pensaram. E creio que, por isso, tudo o que eles de fato viram (a percepção dos sentidos, quase por hipótese, ficaria confusa em tal momento), quase certamente o teriam lembrado como um movimento vertical. O que não devemos dizer é que eles "confundiram" o "céu" como local e as salas do trono celestial e semelhantes com os Céus "espirituais" de união com Deus e de poder e beatitude supremos. Você e eu temos gradualmente desemaranhado os diferentes sentidos da palavra *Céu* ao longo deste capítulo. Pode ser conveniente fazer uma lista aqui. *Céu* pode significar: (1) A incondicionada Vida Divina além de todos os mundos; a (2) bendita participação naquela Vida por meio de um espírito criado; (3) toda a Natureza ou sistema de condições em que os espíritos humanos redimidos, ainda permanecendo humanos, podem desfrutar de tal participação plena e para sempre. Este é o Céu que Cristo foi "preparar" para nós. (4) O céu físico, o firmamento, o espaço no qual a Terra se move. O que nos permite distinguir esses sentidos e mantê-los claramente separados não é qualquer pureza espiritual especial, mas o fato de que somos herdeiros de séculos de análise lógica; não por sermos filhos de Abraão, mas de Aristóteles. Não devemos supor que os escritores do Novo Testamento confundiram o Céu no sentido 4 ou 3 com o Céu no sentido 2 ou 1. Você poderá confundir meio soberano com seis pences enquanto não conhecer o sistema inglês de cunhagem — isto é, até saber a diferença entre eles. No conceito deles sobre Céu, todos esses significados estavam latentes, prontos para serem revelados por análises posteriores. Eles nunca pensaram apenas no firmamento azul ou apenas em um céu "espiritual". Quando eles olharam para o firmamento azul, eles nunca duvidaram de que lá, de onde a luz e o calor e a chuva preciosa desciam, estava a casa de Deus; mas, por outro lado, quando pensavam em Alguém subindo para aquele Céu, nunca duvidaram que ele estava "ascendendo" no que deveríamos chamar de sentido "espiritual".

O período real e pernicioso do literalismo veio muito mais tarde, na Idade Média e no século 17, quando as distinções foram estabelecidas e pessoas autoritárias tentaram, de modo errado, reunir novamente, à força, conceitos separados. O fato

Milagres da nova criação

de que pastores galileus não puderam distinguir o que viram na Ascensão daquele tipo de subida que, por sua própria natureza, nunca poderia ser visto de forma alguma, não prova, por um lado, que eles não eram espirituais, nem, por outro lado, que eles não viram nada. Um homem que realmente acredita que o "céu" está no firmamento pode muito bem, no coração, ter uma concepção muito mais verdadeira e espiritual do céu do que muitos lógicos modernos que poderiam expor essa falácia com alguns traços de sua caneta. Pois aquele que faz a vontade do Pai conhece a doutrina.[24] Os esplendores materiais irrelevantes na ideia de tal homem sobre a visão que ele tem de Deus não farão mal, pois não estão ali por si mesmos. A pureza dessas imagens em uma ideia meramente teórica do cristão não trará bem algum se elas foram banidas apenas pela crítica lógica.

Contudo, devemos ir um pouco além disso. Não é por acaso que pessoas simplórias, por mais espirituais que sejam, misturam as ideias de Deus e Céu com o firmamento azul. É um fato, não uma ficção, que a luz e o calor vital descem do firmamento para a Terra. A analogia do papel do firmamento para a geração e do papel da Terra para carregá-la é bastante sólida. A enorme cúpula do firmamento é, de todas as coisas percebidas pelos sentidos, a mais parecida com o infinito. E, quando criou o espaço e os mundos que se movem no espaço, e cercou nosso mundo com ar, e nos deu olhos e imaginações como os que temos, Deus sabia o que o firmamento significaria para nós. E, uma vez que nada em sua obra é acidental, se ele sabia, ele pretendeu que fosse assim. Não podemos ter certeza de que esse não tenha sido, de fato, um

---

[24]*João 7:17.

dos propósitos principais para os quais a Natureza foi criada; menos ainda de que não tenha sido uma das principais razões pelas quais foi permitido que uma partida da Terra desse aos sentidos humanos a impressão de um movimento ascendente. (Um desaparecimento na Terra geraria uma religião totalmente diferente.) Os antigos, ao deixarem o simbolismo espiritual do firmamento fluir diretamente para sua consideração, sem pararem para descobrir, pela análise, que ele era um símbolo, não estavam totalmente enganados. De certa forma, talvez estivessem menos enganados do que nós.

Pois caímos em uma dificuldade oposta. Confessemos que provavelmente todo cristão agora vivo encontra dificuldade em conciliar as duas coisas que lhe disseram sobre o "céu": que é, por um lado, uma vida em Cristo, uma visão de Deus, uma adoração incessante, e que é, por outro lado, uma vida corporal. Quando parecemos estar mais próximos da visão de Deus nesta vida, o corpo parece quase uma irrelevância. E, se tentarmos conceber nossa vida eterna como existindo em um corpo (qualquer tipo de corpo), tendemos a considerar que algum sonho vago de paraísos platônicos e jardins das Hespérides[25] substituiu aquela compreensão mística que sentimos (e, penso eu, corretamente) ser mais importante. Contudo, se essa discrepância fosse definitiva, seguir-se-ia — o que é absurdo — que, no princípio, Deus se enganou ao introduzir nosso espírito na ordem Natural. Devemos concluir que a discrepância em si é precisamente uma das desordens que a Nova Criação vem curar. O fato de que o corpo, e localidade, locomoção e tempo agora parecem

---

[25]*Na mitologia grega, as hespérides eram primitivas deusas primaveris, donas de um jardim que ficaria no extremo ocidental do mundo, em que uma árvore produzia maçãs de ouro.

irrelevantes para os níveis mais elevados da vida espiritual é (como o fato de podermos pensar que nosso corpo é "inferior") um *sintoma*. O Espírito e Natureza têm lutado em nós; essa é a nossa doença. Nada que possamos fazer, no entanto, permite que imaginemos sua cura completa. Temos alguns vislumbres e tênues indícios: nos Sacramentos, no uso das imagens sensoriais pelos grandes poetas, nas melhores instâncias do amor sexual, nas nossas experiências com a beleza da terra. Contudo, a cura completa está totalmente além de nossas concepções atuais. Os místicos foram tão longe na contemplação de Deus até o ponto em que os sentidos são banidos: o ponto seguinte, no qual os sentidos serão trazidos de volta, não foi (pelo que sei) alcançado por ninguém. O destino do homem redimido não é menos, e sim mais inimaginável do que o misticismo nos levaria a supor — porque está cheio de coisas semi-imagináveis que atualmente não podemos admitir sem destruir seu caráter essencial.

Um ponto deve ser mencionado porque, embora eu tenha mantido silêncio sobre ele, não deixa de estar presente na mente da maioria dos leitores. A letra e o espírito da Escritura, e de todo o cristianismo, nos proíbem de supor que a vida na Nova Criação será uma vida sexual; e isso reduz nossa imaginação à alternativa fulminante de corpos que dificilmente serão reconhecíveis como corpos humanos, ou então de um jejum perpétuo. Quanto ao jejum, penso que nossa visão atual pode ser a de um menino que, ao ser informado de que o ato sexual é o maior prazer corporal, imediatamente perguntaria se você, ao mesmo tempo desse ato, comeu chocolate. Ao receber a resposta "Não", ele pode considerar a ausência de chocolate a principal característica da sexualidade. Em vão você diria a ele que a razão pela qual os amantes em seus arrebatamentos carnais não se importam com chocolate é que eles têm algo

Milagres

melhor em que pensar. O menino conhece o chocolate; ele não conhece a coisa positiva que o exclui. Estamos na mesma posição. Conhecemos a vida sexual; não sabemos, exceto em relances, a outra coisa que, no Céu, não deixará lugar para ela. Portanto, onde a plenitude nos espera, antecipamos o jejum. Ao negar que a vida sexual, como a entendemos agora, faça parte da bem-aventurança final, não é obviamente necessário supor que a distinção dos sexos desaparecerá. O que não é mais necessário para fins biológicos pode-se esperar que sobreviva para esplendor. A sexualidade é o instrumento tanto da virgindade como da virtude conjugal; nem homens, nem mulheres terão de jogar fora as armas que usaram vitoriosamente. São os derrotados e os fugitivos que jogam fora as espadas. Os conquistadores embainham as suas e as retêm. "Transexual"[26] seria uma palavra melhor do que "assexuada" para a vida celestial.

Estou bem ciente de que este último parágrafo pode parecer para muitos leitores infeliz e, para alguns, cômico. Contudo, essa mesma comédia, como devo insistir repetidamente, é o sintoma de nossa alienação, como espíritos, da Natureza e de nossa alienação, como animais, do Espírito. A Nova Criação é totalmente concebida em termos de que essa alienação será curada. Uma consequência curiosa se seguirá. O tipo arcaico de pensamento que não conseguia distinguir claramente o "Céu" espiritual do firmamento é, de nosso ponto de vista, um tipo confuso de pensamento; mas também se assemelha a, e antecipa, um tipo de pensamento que um dia será verdadeiro. Esse tipo arcaico de

---

[26]*Não no sentido moderno de alguém que, sendo de determinado sexo, por meio de diversos procedimentos, assume as características físicas do oposto, mas no sentido de algo além do sexo, sem, porém, ignorá-lo.

Milagres da nova criação

pensamento se tornará simplesmente o tipo correto quando a Natureza e o Espírito estiverem totalmente harmonizados — quando o Espírito cavalgar a Natureza com tanta perfeição que os dois juntos formarão mais um *Centauro* do que um cavaleiro montado. Não quero dizer necessariamente que a combinação do Céu e do firmamento, em particular, virá a ser especialmente verdadeira, mas que esse tipo de combinação espelhará com precisão a realidade que então existirá. Não haverá espaço nem mesmo para a mais fina lâmina de barbear de pensamento entre o Espírito e a Natureza. Cada estado de coisas na Nova Natureza será a expressão perfeita de um estado espiritual, e cada estado espiritual, a perfeita formação, e florescimento, de um estado de coisas; em unidade com ele, como o perfume com uma flor ou o "espírito" da grande poesia com sua forma. Há, portanto, na história do pensamento humano, como em outros lugares, um padrão de morte e renascimento. O pensamento antigo e ricamente imaginativo que ainda sobrevive em Platão tem de se submeter ao processo semelhante à morte, mas indispensável, da análise lógica: natureza e espírito, matéria e mente, fato e mito, o literal e o metafórico, têm de ser cada vez mais nitidamente separados, até que, por fim, um universo puramente matemático e uma mente puramente subjetiva confrontam-se um ao outro por meio de um abismo intransponível. Mas, também dessa descendência, se o próprio pensamento tem de sobreviver, deve haver um reascender, e a concepção cristã fornece isso. Aqueles que alcançam a gloriosa ressurreição verão os ossos secos revestidos de novo com a carne, o fato e o mito casados novamente, o literal e o metafórico se juntando.

A observação tão frequente de que "o céu é um estado de mente" testemunha a fase sombria e mortal desse processo que estamos vivendo agora. A implicação é que se o Céu é um estado de mente — ou, mais corretamente, do espírito —, então, deve ser apenas um estado do espírito, ou, pelo menos, que qualquer outra coisa, se adicionada a esse estado de espírito, seria irrelevante. Isso é o que todas as grandes religiões, *exceto* o cristianismo, diriam. Contudo o ensinamento cristão, ao dizer que Deus fez o mundo e o chamou de bom, ensina que a Natureza ou o meio ambiente não podem ser simplesmente irrelevantes para a bem-aventurança espiritual em geral, por mais distante que, em uma Natureza particular, durante os dias de sua escravidão, eles tenham sido separados. Ao ensinar a ressurreição do corpo, ensina que o Céu não é apenas um estado do espírito, mas também um estado do corpo; e, portanto, um estado da Natureza como um todo. Cristo, é verdade, disse a seus ouvintes que o Reino dos Céus estava "dentro" ou "entre" eles.[27] Contudo, seus ouvintes não estavam *meramente* em "estado de mente". O planeta que ele criou estava sob os pés deles, seu sol, acima da cabeça deles; sangue, pulmões e vísceras estavam trabalhando nos corpos que ele havia inventado, fótons e ondas sonoras de seu projeto os abençoavam com a visão de seu rosto humano e com o som de sua voz. Nunca estamos *meramente* em um estado de mente. A oração e a meditação feitas ao vento uivante ou sob a calma luz do sol, no entusiasmo matinal ou na resignação noturna, na juventude ou na velhice, com boa saúde ou doente, podem ser igualmente, mas diferentemente, abençoadas. Já na vida presente, todos nós vimos como Deus pode levar todas essas aparentes irrelevâncias para o fato espiritual e fazer com que tenham uma grande participação em tornar a bênção daquele momento na bênção particular que era — como o fogo pode queimar carvão e madeira igualmente, mas

---

[27]*Lucas 17:20-21.

Milagres da nova criação

um fogo de madeira é diferente de um de carvão. A partir desse fator ambiental, o cristianismo não nos ensina a desejar uma libertação total. Desejamos, como o fez Paulo, não ser despidos, mas revestidos:[28] encontrar não o informe Todo-lugar-e-Lugar-nenhum, mas a terra prometida, aquela Natureza que será sempre e perfeitamente — como a Natureza presente é parcial e intermitentemente — o instrumento para aquela música que então surgirá entre Cristo e nós.

"E o que", você pergunta, "isso importa?" Essas ideias não apenas nos estimulam e nos distraem das coisas mais imediatas e mais certas: do amor a Deus e a nosso próximo, de carregar diariamente a cruz? Se você descobrir que elas o distraem, não pense mais nelas. Admito plenamente que é mais importante para você ou para mim hoje evitar uma zombaria ou estender um pensamento caridoso a um inimigo do que conhecer tudo o que os anjos e arcanjos sabem sobre os mistérios da Nova Criação. Escrevo sobre essas coisas não porque sejam as mais importantes, mas porque este livro é sobre milagres. Pelo título, você não pode esperar um livro de devoção ou de teologia ascética. Mesmo assim, não vou admitir que as coisas que discutimos nas últimas páginas não sejam importantes para a prática da vida cristã. Pois eu suspeito que nossa concepção do Céu como *meramente* um estado de espírito não está desvinculada do fato de que a virtude especificamente cristã da Esperança em nosso tempo se tornou tão lânguida. No lugar onde nossos pais, perscrutando o futuro, viram raios de ouro, vemos apenas a névoa branca, sem traços característicos, fria e sem movimento.

O pensamento por trás de toda essa espiritualidade negativa é realmente proibido para os cristãos. Eles, dentre todos

---

[28]*2Coríntios 5:4.

Milagres

os homens, não devem conceber a alegria e o valor espirituais como coisas que precisam ser resgatadas ou ternamente protegidas do tempo, do lugar, da matéria e dos sentidos. O Deus deles é o Deus do trigo, do azeite e do vinho. Ele é o feliz Criador. Ele se tornou carne. Os sacramentos foram instituídos. Certos dons espirituais nos são oferecidos apenas com a condição de que realizemos certos atos corporais. Depois disso, não podemos realmente duvidar de sua intenção. Recuar de tudo o que pode ser chamado de Natureza para a espiritualidade negativa é como se fugíssemos dos cavalos em vez de aprendermos a cavalgar. Em nossa atual condição de peregrinos, há muito espaço (mais espaço do que a maioria de nós gostaria) para a abstinência, renúncia e mortificação de nossos desejos naturais. Contudo, por trás de todo o ascetismo, o pensamento deveria ser: "Quem nos confiará a verdadeira riqueza se não podemos confiar nem mesmo na riqueza que perece?"[29] Quem me confiará um corpo espiritual se não posso controlar nem mesmo um corpo terreno? Esses corpos pequenos e perecíveis que temos agora foram dados a nós como pôneis são dados a estudantes. Devemos aprender a administrar: não para que, algum dia, nos livremos totalmente dos cavalos, mas para que, algum dia, cavalguemos sem sela, confiantes e alegres, aquelas grandes montarias, aqueles cavalos alados, brilhantes e que balançam o mundo, que talvez até agora esperem por nós com impaciência, coiceando e bufando nos estábulos do rei. Não que o galope tivesse algum valor, a menos que fosse um galope com o Rei; mas de que outra forma — visto que o Rei reteve seu próprio cavalo de batalha — deveríamos acompanhá-lo?

---

[29]*Referência a Lucas 16:11-12.

CAPÍTULO 17

Epílogo

"*Se deixa uma coisa entregue a si mesma, você a deixa sujeita a uma torrente de mudanças. Se você deixar um poste branco entregue a si mesmo, ele logo será um poste preto.*"

G. K. Chesterton, Ortodoxia[1]

Minha tarefa termina aqui. Se, depois de lê-la, você desejar estudar as evidências históricas por si mesmo, comece com o Novo Testamento e não com os livros sobre ele. Se você não souber grego, busque uma tradução moderna. A de Moffat[2] é provavelmente a melhor; a do Monsenhor Knox[3] também

---

[1]Gilbert Keith Chesterton (1874—1936), escritor, poeta, filósofo, polemista e crítico de arte inglês. Seu livro *O homem eterno* foi decisivo para a conversão de Lewis à fé cristã. A citação está em seu clássico *Ortodoxia*, "A eterna revolução", tradução de Francisco Nunes (Jandira, São Paulo: Principis, 2019, p. 144).
[2]Robert Moffat (1870—1944), teólogo escocês. Sua *Nova tradução do Novo Testamento* foi publicada em 1913.
[3]Ronald Arbuthnott Knox (1888—1957), sacerdote católico, teólogo inglês, radialista e autor de histórias de detetives. Em 1945, publicou uma tradução do Novo Testamento que era revisão da Vulgata latina, usando linguagem contemporânea e à luz dos manuscritos gregos.

Milagres

é boa. Não aconselho a versão *Basic English*.[4] E, ao voltar-se do Novo Testamento para os estudiosos modernos, lembre-se de que vai estar entre eles como uma ovelha entre os lobos. Os pressupostos naturalistas, certa súplica com respeito a questionamentos, como o que apontei nas primeiras páginas deste livro, vão encontrá-lo por toda parte — até mesmo vindo da pena dos clérigos. Isso não significa (como uma vez fui tentado a suspeitar) que esses clérigos sejam apóstatas disfarçados que exploram deliberadamente a posição e o sustento que lhes é dado pela Igreja Cristã para então minar o cristianismo. Isso vem em parte do que podemos chamar de "resquício". Todos nós temos o Naturalismo em nossos ossos, e mesmo a conversão não resolve prontamente a infecção de nosso sistema. As assunções dele voltam à mente no momento em que a vigilância é relaxada. E, em parte, o procedimento desses estudiosos surge do sentimento que, para eles, merece grande crédito: de que, na verdade, é honrado a ponto de ser quixotesco. Eles estão ansiosos para conceder ao inimigo todas as vantagens que ele puder ter com qualquer pretensão de demonstração de imparcialidade. Assim, eles tornam parte de seu método eliminar o sobrenatural onde quer que seja mesmo remotamente possível fazê-lo, forçar a explicação natural até o ponto de ruptura antes de admitir a menor sugestão de milagre. Com o mesmo espírito, alguns examinadores tendem a subestimar qualquer candidato cujas opiniões e caráter, conforme revelado por seu trabalho, sejam

---

[4]Essa tradução, realizada por Samuel Henry Hooke (1874—1968), escritor acadêmico inglês, usou apenas mil diferentes palavras (as 850 palavras mais comuns no inglês, acrescidas de 150, necessárias para algumas porções poéticas), visando atender a pessoas de formação cultural limitada ou que não tinham o inglês como primeiro idioma. O Novo Testamento foi publicado em 1941.

Epílogo

revoltantes para eles. Temos tanto medo de sermos induzidos à parcialidade por causa de nossa antipatia instantânea pelo homem que estamos sujeitos a ultrapassar o alvo e tratá-lo com muita gentileza. Muitos estudiosos cristãos modernos ultrapassam o alvo por um motivo semelhante.

Ao usar os livros dessas pessoas, você deve estar continuamente de guarda. Você deve desenvolver um faro como o de um cão de caça para as etapas do argumento que não dependem de conhecimento histórico e linguístico, mas da suposição oculta de que milagres são impossíveis, improváveis ou impróprios. E isso significa que você deve realmente se reeducar: deve trabalhar de modo árduo e constante para erradicar da mente todo tipo de pensamento no qual todos nós fomos criados. É o tipo de pensamento que, sob vários disfarces, tem sido nosso adversário ao longo deste livro. Isso é tecnicamente chamado de *Monismo*;[5] mas talvez o leitor inculto me compreenda melhor se eu chamar isso de *Tudismo*. Com isso, quero indicar a crença de que "tudo", ou "o espetáculo todo", deve ser autoexistente, deve ser mais importante do que cada coisa em particular e deve conter todas as coisas particulares de tal forma que elas não possam ser realmente muito diferentes entre si — que elas devem não apenas "estar em unidade", mas também ser una. Assim, o Tudista, se parte de Deus, torna-se um Panteísta: não deve haver nada que não seja Deus. Se parte da Natureza, ele se torna um Naturalista: não deve haver nada que não seja a Natureza. Ele pensa

---

[5]*"Doutrina segundo a qual o Ser — que apresenta apenas uma multiplicidade aparente — procede de *um único princípio*, é reconduzido a uma única realidade: a matéria ou principalmente o espírito." (DUROZOI, G. e ROUSSEL, A. *Dicionário de Filosofia*. Tradução de Marina Appenzeller. Campinas, SP: Papirus, 1993.)

Milagres

que tudo é, no longo prazo, "apenas" um precursor, ou um desenvolvimento, ou uma relíquia, ou um exemplo, ou uma simulação, de tudo o mais. Acredito que essa filosofia seja profundamente falsa. Um dos modernos disse que a realidade é "incorrigivelmente plural".[6] Eu penso que ele está certo. Todas as coisas vêm de Um. Todas as coisas estão relacionadas — e relacionadas de diferentes e complicados modos; mas todas as coisas não são uma. A palavra "tudo" deveria significar simplesmente o total (um total a ser alcançado, se soubéssemos o suficiente, por enumeração) de todas as coisas que existem em determinado momento. Não lhe deve ser dada uma letra maiúscula mental; não deve (sob a influência do pensamento pictórico) ser transformada em uma espécie de piscina na qual coisas particulares afundam, ou mesmo em um bolo no qual elas são as passas. As coisas reais são nítidas, e irregulares, e complicadas, e diferentes. O Tudismo é congenial a nossa mente porque é a filosofia natural de uma era totalitária, de produção em massa e de recrutamento. É por isso que devemos estar perpetuamente de guarda contra isso.

E também... e também... É isso *e também* aquele que temo mais do que qualquer argumento positivo contra milagres: aquele retorno suave e constante como uma maré de seu ponto de vista habitual quando você fecha o livro e as quatro paredes familiares sobre você e os ruídos familiares da rua se reafirmam. Talvez (se me atrevo a supor tanto) você, por vezes, tenha sido seduzido enquanto lia, tenha sentido esperanças e medos antigos se agitando em seu coração, talvez tenha chegado quase ao limiar da crença — mas agora? Não. Isso simplesmente não vai funcionar. Aqui está o comum,

---

[6]*Citação do verso 6 do poema "Snow" [Neve] de Frederick Louis MacNeice (1907—1963), poeta e dramaturgo irlandês.

Epílogo

aqui está o mundo "real" à sua volta novamente. O sonho está acabando; como todos os outros sonhos semelhantes sempre terminaram. Pois é claro que essa não é a primeira vez que tal coisa acontece. Mais de uma vez em sua vida antes disso, você ouviu uma história estranha, leu algum livro esquisito, viu algo desconcertante ou imaginou ter visto, nutriu alguma esperança ou terror selvagem: mas isso sempre terminou da mesma maneira. E você sempre se perguntou como pôde, mesmo por um momento, ter esperado que não acontecesse. Pois aquele "mundo real" para o qual você voltou é tão irrefutável. *Sem dúvida*, a história estranha era falsa, sem dúvida, a voz era realmente subjetiva, sem dúvida, o aparente augúrio era uma coincidência. Você está envergonhado de si mesmo por ter pensado o contrário: envergonhado, aliviado, divertido, desapontado e com raiva, tudo ao mesmo tempo. Você deveria saber que, como diz Arnold, "Milagres não acontecem".[7]

Sobre esse estado de espírito, tenho apenas duas coisas a dizer. A primeira é que isso é precisamente um daqueles contra-ataques da Natureza que, em minha teoria, você deveria ter antecipado. O pensamento racional que você possui não tem sustentação em sua consciência meramente natural, exceto aquilo que ela ganha e mantém pela conquista. No momento em que o pensamento racional cessa, a imaginação, o hábito mental, o temperamento e o "espírito da época" tomam conta de você novamente. Novos pensamentos, até que se tornem habituais, afetarão sua consciência como um todo apenas enquanto você os estiver realmente pensando. A razão tem apenas de cochilar em seu posto, e instantaneamente as patrulhas da Natureza se infiltrarão. Portanto, embora os contra-argumentos contra o Milagre devam receber total atenção (pois

---

[7]*Matthew Arnold (1822—1888), poeta e crítico social e literário inglês.

Milagres

se eu estiver errado, então, quanto mais cedo eu for refutado, melhor não apenas para você, mas para mim), a mera ação gravitacional da mente de volta à sua perspectiva habitual deve ser descartada. Não apenas nessa investigação, mas em qualquer investigação. Essa mesma sala familiar, reafirmando--se quando fechamos o livro, pode fazer outras coisas *parecerem* incríveis além dos milagres. Caso o livro esteja dizendo a você que o fim da civilização está próximo, que você é mantido em sua cadeira pela curvatura do espaço, ou mesmo que você está de cabeça para baixo em relação à Austrália, ainda pode parecer um pouco irreal como você bocejar e pensar em ir para a cama. Descobri até mesmo uma verdade simples (por exemplo: que minha mão, esta mão agora apoiada no livro, um dia será a mão de um esqueleto) singularmente pouco convincente em tal momento. "Sentimentos de crença", como o dr. Richards[8] os chama, não seguem a razão, exceto por um longo treinamento: eles seguem a Natureza, seguem as ranhuras e os sulcos que já existem na mente. A mais firme convicção teórica a favor do materialismo não impedirá que um tipo particular de homem, sob certas condições, tenha medo de fantasmas. A mais firme convicção teórica a favor dos milagres não impedirá outro tipo de homem, em outras condições, de *sentir* uma pesada e inescapável certeza de que nenhum milagre jamais poderá ocorrer. Contudo, os sentimentos de um homem cansado e nervoso, inesperadamente reduzido a passar uma noite em uma grande casa de campo vazia no final de uma viagem sobre a qual ele estava lendo uma história de fantasmas, eles não são evidência da existência de fantasmas. Os sentimentos que você tem neste momento não são evidência de que milagres não ocorram.

---

[8]*Citado na abertura do cap. 3.

Epílogo

A segunda coisa é esta. Você provavelmente está certo em pensar que nunca verá um milagre acontecer; você provavelmente está igualmente certo em pensar que havia uma explicação natural para qualquer coisa em sua vida passada que parecia, à primeira vista, ser "esquisita" ou "incomum". Deus não espalha milagres na natureza ao acaso, como se viessem de um lançador de pimenta. Eles vêm em grandes ocasiões: eles são encontrados nos grandes momentos importantes da história — não da história política ou social, mas daquela história espiritual que não pode ser totalmente conhecida pelos homens. Se por acaso sua vida não está perto de um desses grandes momentos, como você deve esperar para ver um? Se fôssemos missionários heroicos, apóstolos ou mártires, a coisa seria diferente. Contudo, por que você ou eu? A menos que você more perto de uma ferrovia, não verá trens passando diante de suas janelas. Qual é a probabilidade de você ou eu estarmos presentes quando um tratado de paz for assinado, quando uma grande descoberta científica for feita, quando um ditador se suicidar? Que vejamos um milagre é ainda menos provável. Nem, se compreendermos, estaremos ansiosos para vê-lo. "Quase nunca vemos milagres, se não for apenas quando infelizes".[9] Milagres e martírios tendem a se agrupar nas mesmas áreas da história — áreas que naturalmente não desejamos frequentar. Não exija, eu lhe aconselho sinceramente, uma prova ocular a menos que já esteja perfeitamente certo de que ela não está disponível.

---

[9]*Shakespeare, *Rei Lear*, Ato II, final da Cena II (tradução de Carlos Alberto Nunes).

APÊNDICE A
Sobre as palavras "espírito" e "espiritual"

O leitor deve ser avisado de que o ângulo sob o qual o Homem é considerado no quarto capítulo é bem diferente daquele que seria apropriado em um tratado devocional ou prático sobre a vida espiritual. O tipo de análise que se faz de qualquer coisa complexa depende do propósito que se tem em vista. Assim, em uma sociedade, as distinções importantes, de um ponto de vista, seriam aquelas entre homem e mulher, crianças e adultos, e assim por diante. De outro ponto de vista, as distinções importantes seriam aquelas entre governantes e governados. De um terceiro ponto de vista, as distinções de classe ou de ocupação podem ser as mais importantes. Todas essas diferentes análises podem ser igualmente corretas, mas seriam úteis para finalidades diferentes. Quando consideramos o Homem como evidência do fato de que esta Natureza espaço-temporal não é a única coisa que existe, a distinção importante é feita entre aquela parte do Homem que pertence a esta Natureza espaço-temporal e aquela parte que não pertence; ou, se você preferir, entre aqueles fenômenos da humanidade que estão rigidamente entrelaçados com todos os outros acontecimentos neste espaço e neste tempo e aqueles que têm certa independência. Essas duas partes de um homem podem ser corretamente chamadas de Natural e Sobrenatural: ao chamar a segunda de *Sobre*natural, referimo-nos a algo que invade, ou é adicionado, o grande acontecimento interligado no espaço e no tempo, em vez de simplesmente surgir dele. Por outro lado, essa parte "Sobrenatural" é ela mesma um ser criado — uma coisa chamada à existência pelo Ser Absoluto e que dele recebeu certo caráter ou "natureza". Poderíamos, portanto, dizer que, embora "sobrenatural" em relação a *esta* Natureza (esse acontecimento complexo no espaço e no tempo), é, em outro sentido, "natural" — isto é, é um espécime de uma classe de coisas que Deus normalmente cria de acordo com um padrão estável.

Há, no entanto, um sentido em que a vida desta parte pode se tornar *absolutamente* Sobrenatural, isto é, não além *desta* Natureza, mas além de toda e qualquer Natureza, no sentido de que pode alcançar um tipo de vida que nunca poderia ter sido *dado* a qualquer ser criado por sua mera criação. A distinção ficará, talvez, mais clara se a considerarmos em relação não aos homens, mas aos anjos. (Não importa, aqui, se o leitor acredita em anjos ou não. Eu os estou usando apenas para deixar meu argumento mais claro.) Todos os anjos, tanto os "bons" quanto os maus, ou "caídos", que chamamos de demônios, são igualmente "Sobrenaturais" em relação a *esta* Natureza espaço-temporal: isto é, eles estão fora dela e têm poderes e um modo de existência que ela não poderia conceder. Contudo, os anjos bons levam uma vida que é Sobrenatural em outro sentido também. Quer dizer: eles têm, por sua própria livre vontade, em amor, oferecido de volta a Deus as "naturezas" que ele lhes deu ao criá-los. É claro que todas as criaturas vivem a partir de Deus no sentido em que ele as criou e as mantém em existência a cada momento. Mas existe um tipo posterior e superior de "vida oriunda de Deus" que pode ser dada apenas a uma criatura que se entrega voluntariamente a ela. Essa vida os anjos bons têm, e os anjos maus não; e ela é absolutamente Sobrenatural porque nenhuma criatura em qualquer mundo pode tê-la pelo simples fato de ser o tipo de criatura que é.

Tal como acontece com os anjos, é assim conosco. A parte racional de todo homem é sobrenatural em um sentido relativo — o mesmo sentido em que *tanto* os anjos *quanto* os demônios são sobrenaturais. Mas, se alguém é, como dizem os teólogos, "nascido de novo", se esse alguém se entrega de volta a Deus em Cristo, terá uma vida que é absolutamente Sobrenatural, que não é criada de forma alguma, mas gerada, pois a criatura está então compartilhando da vida gerada da Segunda Pessoa da Deidade.

Quando os escritores devocionais falam da "vida espiritual" — e, muitas vezes, quando falam da "vida sobrenatural" ou quando eu mesmo, em outro livro, falei de *Zoé*[1] —, eles se referem a vida *absolutamente* Sobrenatural que nenhuma criatura pode receber simplesmente por ter sido criada, mas que toda criatura racional pode ter entregando-se voluntariamente à vida de Cristo. Contudo, muita confusão surge do fato de que, em muitos livros, as palavras "espírito" ou "espiritual" também são usadas para indicar o elemento *relativamente* sobrenatural no Homem, o elemento externo a *esta* Natureza que é (por assim dizer) "suprido" ou entregue para ele pelo mero fato de ter sido criado como um Homem.

Talvez seja útil fazer uma lista dos sentidos em que as palavras "espírito", "espíritos" e "espiritual" são, ou foram, usadas em inglês.

---

[1] *Cristianismo puro e simples*, "Livro IV", tradução de Gabriele Greggersen. (Rio de Janeiro: Thomas Nelson Brasil, 2017.)

1. O sentido químico; por exemplo: "Espíritos evaporam muito rapidamente".[2]
2. O (agora obsoleto) sentido médico. Os médicos mais velhos acreditavam em certos fluidos extremamente finos no corpo humano, os quais eram chamados de "espíritos". Como ciência médica, esse ponto de vista foi abandonado há muito tempo, mas é a origem de algumas expressões que ainda usamos, como quando falamos de alguém "cheio de bom espírito" ou falamos de "estar com o espírito pra baixo" ou, então, quando dizemos que alguém é "espirituoso" ou que um menino tem "espírito de porco".[3]
3. "Espiritual" é frequentemente usado para denominar simplesmente o oposto de "corpóreo" ou "material". Assim, tudo o que é imaterial no homem (emoções, paixões, memória etc.) é frequentemente chamado de "espiritual". É muito importante lembrar que o que é "espiritual" nesse sentido não é necessariamente bom. Não há nada de especialmente bom no mero fato da imaterialidade. As coisas imateriais podem, como coisas materiais, ser boas ou más ou indiferentes.
4. Algumas pessoas usam "espírito" para significar aquele elemento relativamente sobrenatural que é dado a cada homem na criação — o elemento racional. Essa é, creio eu, a maneira mais útil de empregar a palavra. Aqui, novamente, é importante perceber que o que é "espiritual" não

---

[2]*Também em português, a palavra "espírito" tem o sentido antigo, derivado da alquimia, de "qualquer líquido obtido pela destilação; álcool", e, por extensão, "qualquer bebida alcoólica".

[3]*Em português, temos a acepção similar de "caráter, índole; essência"; a expressão portuguesa "espírito animal" significa "suposto fluido que leva as sensações ao cérebro".

Sobre as palavras "espírito" e "espiritual"

é necessariamente bom. Um Espírito[4] (neste sentido) pode ser a melhor ou a pior das coisas criadas. Porque o Homem é (neste sentido) um animal espiritual, ele pode se tornar um filho de Deus ou um demônio.

5. Por fim, os escritores cristãos usam "espírito" e "espiritual" para denominar a vida que surge em tais seres racionais quando eles se rendem voluntariamente à graça divina e se tornam filhos do Pai Celestial em Cristo. É neste sentido, e somente neste sentido, que o "espiritual" é sempre bom.

É inútil reclamar que as palavras têm mais de um sentido. A linguagem é uma coisa viva, e as palavras tendem a produzir novos sentidos como uma árvore produz novos galhos. Não é totalmente uma desvantagem, visto que, no ato de desemaranhar esses sentidos, aprendemos muito sobre as coisas envolvidas que, de outra forma, poderíamos ter negligenciado. O que é desastroso é que qualquer palavra mude de sentido durante uma discussão, sem que percebamos a mudança. Consequentemente, para a presente discussão, pode ser útil dar nomes diferentes às três coisas a que nos referimos pela palavra "Espírito" nos sentidos 3, 4 e 5. Assim, para o sentido 3, uma boa palavra seria "alma"; e o adjetivo para acompanhá-la seria "psicológica". Para o sentido 4, podemos manter as palavras "espírito" e "espiritual". Para o sentido 5, o melhor adjetivo seria "regenerado", mas não existe um substantivo muito adequado.[5] E isso talvez seja significativo; pois aquilo sobre o que estamos falando não é (como a *alma* e

---

[4]*Com maiúscula no original.
[5]Porque o "espírito" neste sentido é idêntico ao Novo Homem (o Cristo formado em cada cristão aperfeiçoado), alguns teólogos latinos o chamam simplesmente de nossa *Novitas*, isto é, nossa "novidade".

o *espírito* são) uma parte ou um elemento no Homem, mas um redirecionamento e uma revitalização de todas as partes ou elementos. Assim, em certo sentido, não há nada mais em um homem regenerado do que havia em um homem não regenerado, assim como não há nada mais em um homem que está caminhando na direção certa do que há naquele que está andando na direção errada. Em outro sentido, porém, pode-se dizer que o homem regenerado é *totalmente* diferente do não regenerado, pois a vida regenerada, o Cristo que é formado nele, transforma cada parte dele: seu espírito, sua alma e seu corpo vão todos renascer. Assim, se a vida regenerada não é uma *parte* do homem, é em grande parte porque, onde ela surge, não pode descansar até que se torne o homem todo. Ela não é separada de nenhuma das partes, como elas são separadas umas das outras. A vida do "espírito" (no sentido 4) é, de certo modo, separada da vida da alma: o homem puramente racional e moral que tenta viver inteiramente por seu espírito criado se vê forçado a tratar as paixões e imaginações de sua alma como meros inimigos a serem destruídos ou aprisionados. Contudo, o homem regenerado encontrará sua alma por fim harmonizada com seu espírito por meio da vida de Cristo que está nele. Consequentemente, os cristãos acreditam na ressurreição do corpo, enquanto os antigos filósofos consideravam o corpo um mero estorvo. E esta talvez seja uma lei universal: que quanto mais alto você sobe, mais baixo você pode descer. O homem é uma torre em que os diferentes andares dificilmente podem ser alcançados indo de um para o outro, mas todos podem ser alcançados a partir do último andar.

* * *

N.B.: na *Authorised Version*, o homem "espiritual" se refere ao que estou chamando de homem "regenerado"; o homem "natural" quer dizer, eu acho, o que eu chamo de "homem do espírito" e "homem da alma".[6]

---

[6]*O mesmo se aplica às versões tradicionais em português.

APÊNDICE B

Sobre "providências especiais"

Neste livro, o leitor viu referência a duas classes de acontecimentos, e apenas duas: milagres e acontecimentos naturais. Os primeiros não são interligados com a história da Natureza no sentido inverso, ou seja, no tempo antes de sua ocorrência. Os últimos são. Muitas pessoas piedosas, entretanto, falam de certos acontecimentos como sendo "providenciais" ou "providências especiais" sem querer dizer que eles são milagrosos. Isso geralmente implica a crença de que, independentemente dos milagres, alguns acontecimentos são providenciais em um sentido em que outros não são. Assim, algumas pessoas acreditam que o clima que nos permitiu trazer tantos de nosso exército em Dunquerque[1] foi "providencial" de alguma forma, ao passo que o clima como um todo não é providencial. A doutrina cristã de que alguns acontecimentos, embora não sendo milagres, ainda são respostas a orações parece, à primeira, vista implicar isso.

---

[1]*Em maio de 1940, cerca de 400 mil soldados aliados foram cercados por aproximadamente 800 mil soldados alemães em Dunquerque, cidade na costa norte da França. Com o apoio de embarcações militares e civis, e graças ao bom tempo, mais de 330 mil aliados foram resgatados.

Acho muito difícil conceber uma classe intermediária de acontecimentos que não sejam milagrosos nem meramente "comuns". O clima em Dunquerque foi ou não o que a história física anterior do universo, por seu próprio caráter, inevitavelmente produziria? Em caso positivo, então, como foi "especialmente" providencial? Do contrário, foi um milagre.

Parece-me, portanto, que devemos abandonar a ideia de que existe uma classe especial de acontecimentos (além dos milagres) que podem ser distinguidos como "especialmente providenciais". A menos que abandonemos totalmente a concepção da Providência e, com ela, a crença na oração eficaz, segue-se que todos os acontecimentos são igualmente providenciais. Se Deus dirige o curso dos acontecimentos, então, ele dirige o movimento de cada átomo a cada momento; "nenhum pardal cai no chão"[2] sem essa direção. A "naturalidade" dos acontecimentos naturais não consiste em que eles estejam de alguma forma fora da providência de Deus; mas consiste em que eles estejam interligados entre si dentro de um espaço-tempo comum, de acordo com o padrão fixo das "leis".

Para obter qualquer imagem de uma coisa, às vezes é necessário começar com uma imagem falsa e depois corrigi-la. A falsa imagem da Providência (falsa porque representa Deus e a Natureza como estando ambos contidos em um Tempo comum) seria a seguinte. Cada acontecimento na Natureza resulta de algum acontecimento anterior, não das leis da Natureza. No longo prazo, o primeiro acontecimento natural, qualquer que tenha sido, ditou todos os outros. Ou seja, quando Deus, no momento da criação, nutriu

---

[2]*Mateus 10:29.

o primeiro acontecimento na estrutura das "leis" — primeiro deu o pontapé inicial —, ele determinou toda a história da Natureza. Antevendo cada parte dessa história, ele pretendeu cada parte dela. Se ele tivesse desejado um clima diferente em Dunquerque, teria tornado o primeiro acontecimento um pouco diferente.

O clima que realmente tivemos é, portanto, no sentido mais estrito, providencial; foi decretado, e decretado com um propósito, quando o mundo foi feito — porém não mais (embora, para nós, mais interessantemente) do que a posição precisa neste momento de cada átomo no anel de Saturno.

Segue-se (ainda mantendo nossa falsa imagem) que todo acontecimento físico foi determinado de modo a servir a um grande número de propósitos.

Assim, deve-se supor que Deus, ao predeterminar o clima em Dunquerque, levou em consideração o efeito que teria não apenas no destino de duas nações, mas (o que é incomparavelmente mais importante) em todos os indivíduos envolvidos em ambos os lados, em todos os animais, vegetais e minerais dentro do alcance do ocorrido e, por fim, em todos os átomos do universo. Isso pode parecer excessivo, mas na realidade estamos atribuindo ao Onisciente apenas um grau infinitamente superior do mesmo tipo de habilidade que um mero romancista humano exerce diariamente na construção de seu enredo.

Suponha que eu esteja escrevendo um romance. Tenho os seguintes problemas em mão: (**1**) O velho sr. A. deve estar morto antes do capítulo 15. (**2**) E é melhor ele morrer de repente, porque tenho de impedi-lo de alterar seu testamento. (**3**) Sua filha (minha heroína) tem de ser mantida fora de Londres por, pelo menos, três capítulos. (**4**) Meu herói conseguiu, de alguma forma, recuperar sua boa reputação diante da heroína, a qual havia perdido no capítulo 7. (**5**) B., aquele jovem pedante que tem de melhorar antes do final do livro, precisa de um forte choque moral para tirar o orgulho de si. (**6**) Ainda não decidimos o trabalho de B.; mas todo o desenvolvimento de seu caráter envolverá dar-lhe um emprego e mostrá-lo trabalhando de verdade. Como, céus, vou resolver todas essas seis coisas? Preciso conseguir. Que tal um acidente ferroviário? O velho A. pode morrer ali, e isso resolve o problema com ele. Na verdade, o acidente pode ocorrer quando ele está de fato indo a Londres para ver seu advogado com o objetivo de alterar o testamento. O que é mais natural do que sua filha ir com ele? Vamos deixá-la levemente ferida no acidente: isso a impedirá de chegar a Londres por tantos capítulos quantos forem necessários. E o herói pode estar no mesmo trem. Ele pode se comportar com grande frieza e heroísmo durante o acidente — provavelmente ele salvará a heroína de um vagão em chamas. Isso resolve meu quarto ponto. E o jovem pedante B.? Faremos dele o sinaleiro cuja negligência causou o acidente. Isso lhe dá um choque moral e também o liga ao enredo principal. Na verdade, uma vez que pensamos no acidente ferroviário, aquele único acontecimento resolverá seis problemas aparentemente separados.

Sem dúvida, essa é, de certa forma, uma imagem intoleravelmente enganosa: em primeiro lugar porque (exceto no que diz respeito ao pedante B.) não tenho pensado no bem supremo de meus personagens, mas no entretenimento de meus leitores; em segundo lugar, porque estamos simplesmente ignorando o efeito do acidente ferroviário em todos os outros passageiros daquele trem; e, por fim, porque sou eu que faço B. dar o sinal errado. Ou seja, embora eu finja que ele tem livre-arbítrio, ele realmente não tem. Apesar dessas objeções, no entanto, o exemplo pode sugerir como a Divina engenhosidade poderia arquitetar a "trama" física do universo a ponto de fornecer uma resposta "providencial" às necessidades de inúmeras criaturas.

Contudo, algumas dessas criaturas têm livre-arbítrio. É neste ponto que devemos começar a corrigir a reconhecidamente falsa imagem da Providência que temos usado até agora. Essa imagem, você deve se lembrar, era falsa porque representava Deus e a Natureza habitando um Tempo comum; mas é provável que a Natureza não esteja realmente no Tempo e é quase certo que Deus não está. O tempo é provavelmente (como a perspectiva) o modo de nossa percepção. Portanto, na realidade não há dúvida de que Deus em um ponto no tempo (o momento da criação) adaptou a história material do universo com antecedência para atos livres que você ou eu devemos realizar em um ponto posterior no Tempo. Para ele, todos os eventos físicos e todos os atos humanos estão presentes em um eterno Agora. A liberação de vontades finitas e a criação de toda a história material do universo (relacionada aos atos dessas vontades em toda a complexidade necessária) são para ele uma única operação. Nesse sentido, Deus não criou o universo há muito tempo, mas o cria neste minuto — a cada minuto.

Suponha que eu encontre um pedaço de papel no qual uma linha preta ondulada já esteja desenhada; agora posso sentar-me e desenhar outras linhas (digamos, em vermelho) em uma forma que combine com a linha preta em certo padrão. Suponhamos agora que a linha preta original seja consciente, mas não é consciente ao longo de todo o comprimento de uma só vez — apenas em cada ponto daquele comprimento por vez.

Na verdade, sua consciência está viajando ao longo dessa linha da esquerda para a direita, retendo o ponto A apenas como uma memória quando chega a B e é incapaz de se tornar consciente de C enquanto não houver saído de B. Vamos também dar a essa linha negra o livre-arbítrio. Ela escolhe a direção que vai seguir. Sua forma ondulada particular é a forma que ela deseja ter. Contudo, embora esteja ciente de sua própria forma escolhida apenas a cada momento e não saiba no ponto D para que lado decidirá virar no ponto F, posso ver sua forma como um todo e de uma só vez. A cada momento ela encontrará minhas linhas vermelhas esperando por ela e a ela adaptadas. Claro; porque eu, ao compor o desenho total de vermelho e preto, tenho todo o percurso da linha preta em vista e o levo em consideração. Não é uma questão de impossibilidade, mas apenas de habilidade do desenhista, minha projeção de linhas vermelhas que em todos os pontos tenham uma relação correta não apenas com a linha preta, mas entre si, de modo a preencher todo o papel com um desenho satisfatório.

Nesse modelo, a linha preta representa uma criatura com livre-arbítrio, as linhas vermelhas representam acontecimentos materiais, e eu represento Deus. O modelo certamente seria mais exato se eu estivesse fazendo o papel tão bem quanto o padrão e se houvesse centenas de milhões de linhas pretas em vez de uma — mas, por uma questão de simplicidade, devemos mantê-lo como está.[3]

Será visto que, se a linha preta dirigisse orações a mim, eu lhas poderia (se escolhesse fazê-lo) atender. Ela ora para que, ao atingir o ponto N, encontre as linhas vermelhas dispostas

---

[3] Reconheço que tudo o que fiz foi virar o jogo, tornando as volições humanas o constante e o destino físico a variável. Isso é tão falso quanto a visão oposta; a questão é que não é mais falso. Uma imagem mais sutil de criação e liberdade (ou melhor, de criação do livre e do não livre em um único ato atemporal) seria a adaptação mútua *quase* simultânea nos movimentos de dois parceiros de dança experientes.

em torno de si em determinada forma. Essa forma pode, pelas leis do projeto, exigir que seja equilibrada por outros arranjos de linhas vermelhas em partes bastante diferentes do papel — algumas na parte superior ou na inferior tão distantes da linha preta que nada sabem sobre tais arranjos; algumas tão à esquerda que vêm antes do início da linha preta, algumas tão à direita que vêm depois de seu fim. (A linha preta chamaria essas partes do papel de: "O tempo antes de eu nascer" e: "O tempo depois de eu morrer".) Contudo essas outras partes do padrão exigidas pela forma vermelha que a Linha Negra quer em N não me impedem de atender à sua oração. Pois todo o seu percurso ficou visível para mim desde o momento em que olhei para o papel, e seus requisitos no ponto N estão entre as coisas que levei em consideração ao decidir o padrão total.

A maioria de nossas orações, se analisadas completamente, pedem por um milagre ou por acontecimentos cujo fundamento terá de ser lançado antes de eu nascer, na verdade, lançado quando o universo começou. No entanto, para Deus (embora não para mim), eu e a oração que fiz em 1945 estávamos tão presentes na criação do mundo como estão agora e estarão daqui a um milhão de anos. O ato criativo de Deus é atemporal e atemporalmente adaptado aos elementos "livres" dentro dele; mas essa adaptação atemporal é apresentada a nossa consciência como uma sequência e oração e resposta.

Dois corolários se seguem:[4]

1. As pessoas costumam perguntar se determinado evento (não um milagre) foi realmente ou não uma resposta à

---

[4]*Lewis dedica as Cartas 7 a 9 de *Cartas a Malcolm, sobretudo a respeito da oração* (tradução de Francisco Nunes. Rio de Janeiro: Thomas Nelson Brasil, 2019) ao assunto das orações de petição.

oração. Acho que se elas analisarem seus pensamentos, descobrirão que estão perguntando: "Deus o fez com um propósito especial ou teria acontecido de qualquer maneira como parte do curso natural dos eventos?" Todavia isso (como a velha pergunta: "Você parou de bater em sua esposa?") torna qualquer uma das respostas impossível. Na peça *Hamlet*, Ofélia sobe em um galho que pende sobre um rio: o galho se quebra, ela cai e se afoga.[5] O que você responderia se alguém perguntasse: "Ofélia morreu porque Shakespeare, por motivos poéticos, queria que ela morresse naquele momento — ou porque o galho quebrou?" Acho que seria preciso dizer: "Por ambas as razões". Todo acontecimento na peça ocorre como resultado de outros acontecimentos na peça, mas também todo acontecimento ocorre porque o poeta quer que ocorra. Todos os acontecimentos da peça são shakespearianos; da mesma forma, todos os acontecimentos no mundo real são eventos providenciais. Todos os acontecimentos da peça, entretanto, acontecem (ou deveriam ocorrer) pela lógica dramática dos acontecimentos. Da mesma forma, todos os eventos no mundo real (exceto milagres) ocorrem por causas naturais. "Providência" e motivação Natural não são alternativas; ambas determinam cada evento porque ambos são um.

2. Quando estamos orando sobre o resultado, digamos, de uma batalha ou de uma consulta médica, muitas vezes passa por nossa mente o pensamento de que (se tão somente soubéssemos) o acontecimento já está decidido

---

[5]*Isto é narrado por Gertrudes, rainha da Dinamarca, mãe de Hamlet, a Laertes, filho de Polônio, camareiro, tio e padrasto de Hamlet, no final do Ato IV.

de uma forma ou de outra. Acredito que esse não seja um bom motivo para cessarmos nossas orações. O acontecimento certamente foi decidido — em certo sentido, foi decidido "antes de todos os mundos".[6] Contudo, uma das coisas levadas em consideração ao decidir e, portanto, uma das coisas que realmente faz com que isso aconteça, pode ser essa mesma oração que estamos apresentando agora. Assim, por mais chocante que possa parecer, concluo que ao meio-dia podemos nos tornar parte das causas de um acontecimento que ocorre às dez da manhã. (Alguns cientistas achariam isso mais fácil do que o pensamento popular supõe.) A imaginação, sem dúvida, tentará jogar todo tipo de truque sobre nós nesse momento. Ela perguntará: "Então, se eu parar de orar, Deus recuará e alterará o que já aconteceu?" Não. O acontecimento já ocorreu, e uma de suas causas é o fato de você estar fazendo essas perguntas em vez de orar. Ela perguntará: "Então, se eu começar a orar, Deus pode recuar e alterar o que já aconteceu?" Não. O acontecimento já ocorreu, e uma de suas causas é sua oração atual. Portanto, algo realmente depende de minha escolha. Meu ato livre contribui para a aparência cósmica. Essa contribuição é feita na eternidade ou "antes de todos os mundos"; mas minha consciência de contribuir me alcança em um ponto particular da série temporal.

A seguinte pergunta pode ser feita: se podemos orar de modo racional por um evento que deve de fato ter acontecido

---

[6]*Cláusula do Credo Niceno a respeito do eterno Filho de Deus: "[Creio em] um só Senhor Jesus Cristo, Filho unigênito de Deus; gerado de seu Pai antes de todos os mundos" (*Livro de oração comum* [Igreja Episcopal do Brasil, 1950], p. 16.

Sobre "providências especiais"

ou deixado de acontecer há várias horas, por que não podemos orar por um evento que sabemos que *não* aconteceu? Por exemplo: orar pela segurança de alguém que, como sabemos, foi morto ontem. O que faz a diferença é justamente nosso conhecimento. O evento conhecido declara a vontade de Deus. É psicologicamente impossível orar pelo que sabemos ser inalcançável; e, se fosse possível, a oração pecaria contra o dever de submissão à conhecida vontade de Deus.

Mais uma consequência ainda está para ser delineada. Nunca é possível provar empiricamente que determinado acontecimento não milagroso foi ou não resposta a uma oração. Visto que não foi milagroso, o cético sempre pode apontar para suas causas naturais e dizer: "Por causa disso, a coisa teria acontecido de qualquer maneira", e o crente sempre pode responder: "Mas porque esses eram apenas elos em uma cadeia de eventos, pendurados em outros elos, e toda a corrente pendurada na vontade de Deus, eles podem ter ocorrido porque alguém orou". A eficácia da oração, portanto, não pode ser afirmada ou negada sem um exercício da vontade — a vontade escolhendo ou rejeitando a fé à luz de toda uma filosofia. A evidência experimental não se encontra em nenhum dos dois lados. Na sequência M-N-O, o evento N, a menos que seja um milagre, é sempre causado por M e causa O; mas a verdadeira questão é se a série total (digamos A-Z) se origina ou não de uma vontade que pode levar as orações humanas em consideração.

Essa impossibilidade de prova empírica é uma necessidade espiritual. Um homem que soubesse empiricamente que um evento foi causado por sua oração se sentiria um mágico. Sua cabeça giraria e seu coração seria corrompido. O cristão não deve perguntar se este ou aquele acontecimento ocorreu por causa de uma oração. Ele deve, antes, crer que todos os

Milagres

acontecimentos, sem exceção, são *respostas* à oração no sentido de que, sejam concessões, sejam recusas, as orações de todos os envolvidos e suas necessidades foram todas levadas em consideração. Todas as orações são ouvidas, embora nem todas as orações sejam atendidas. Não devemos imaginar o destino como um filme que se desenrola em grande parte por conta própria, mas no qual nossas orações às vezes podem inserir itens adicionais. Pelo contrário; o que o filme nos mostra à medida que se desenrola já contém os resultados de nossas orações e de todos os nossos outros atos. Não há dúvida quanto a *se* um acontecimento ocorreu por causa de sua oração. Quando o acontecimento pelo qual você orou ocorre, sua oração sempre contribuiu para isso. Quando o acontecimento oposto ocorre, sua oração nunca foi ignorada; foi considerada e recusada, para seu bem final e para o bem de todo o universo. (Por exemplo: porque é melhor para você e para todos no longo prazo que outras pessoas, incluindo os perversos, exerçam o livre-arbítrio do que você ser protegido da crueldade ou da traição por transformar a raça humana em autômatos.) Todavia isso é, e deve permanecer, uma questão de fé. Você vai, eu acho, apenas se enganar se tentar encontrar evidências especiais para ela em alguns casos, mais do que em outros.

Milagres

Outros livros de C. S. Lewis pela Thomas Nelson Brasil

A abolição do homem
A última noite do mundo
Cartas a Malcolm
Cartas de C. S. Lewis
Cartas de um diabo a seu aprendiz
Cristianismo puro e simples
Deus no banco dos réus
George MacDonald
O assunto do Céu
O grande divórcio
Os quatro amores
O peso da glória
Reflexões cristãs
Sobre histórias
Todo meu caminho diante de mim
Um experimento em crítica literária

Trilogia Cósmica

Além do planeta silencioso
Perelandra
Aquela fortaleza medonha

Coleção fundamentos

Como cultivar uma vida de leitura
Como orar
Como ser cristão

Este livro foi impresso pela Ipsis, em 2021, para a Thomas Nelson Brasil. A fonte do miolo é Adobe Caslon Pro. O papel do miolo é pólen soft 80g/m², e o da capa é cartão 250g/m².